PALADARES DE CÁ
COZINHA EQUILÍBRIO

Mónica Chan
Minnie Freudenthal
Inês Gonçalves

PALADARES DE CÁ
COZINHA EQUILÍBRIO

ALMEDINA

PALADARES DE CÁ
COZINHA EQUILÍBRIO

TEXTO
Mónica Chan
Minnie Freudenthal

FOTOGRAFIA
Inês Gonçalves

DESIGN GRÁFICO
FBA.

IMPRESSÃO E ACABAMENTO
Gráfica de Coimbra

EDIÇÃO
Almedina
Arco de Almedina, 15
3004-509 Coimbra

DEPÓSITO LEGAL: 219360/04
ISBN: 972-40-2403-2

ÍNDICE

Introdução	13
O que comemos, como o comemos	16

GLOSSARIO · 21

CALDOS · 27

Caldo de peixe	28
Caldo de aves	29
Caldo de carne	30
Caldo de legumes	31

SOPAS · 33

Sopa de courgettes com queijo	34
Caldo verde com abóbora	35
Sopa de cenoura com tangerina e hortelã	36
Sopa de ervilhas com presunto	38
Sopa de couve-flor	39
Sopa de lentilhas com maçã	40
Caldo de verduras com batata-doce	42
Sopa de beldroegas	43

CEREAIS E OUTROS · 45

ARROZ	47
Arroz integral	48
Arroz malandro de bacalhau com aipo ou funcho	49
Arroz de espargos com vinho branco	50
Arroz de tomate, beldroegas e feijão gordo	52
Arroz de cenoura e pimento	53
Arroz de míscaros	54
Arroz salteado com presunto e salsa	55
TRIGO	57
Açorda tipo papa	58

Migas simples e variações	59
Migas com bacalhau e alho francês	60
Migas com camarão e caril	61
Migas com azeitonas e tomates secos	62
Bulgur com passas e pinhões	64
Cuscuz simples	65
QUINOA	67
Quinoa com cenoura	68
MILHO	71
Receita básica de papas de milho e variações	72

LEGUMINOSAS — 75

Cozer leguminosas – receita básica	76
Caldo de leguminosas – receita básica	77
Caldo de feijão com tomilho	78
Caldo de lentilhas com azeite de salva	79
Caldo de grão de bico com hortelã	80
Leguminosas guisadas – receita básica	82
Feijão guisado com coentros e cominhos	83
Grão guisado com abóbora e hortelã	84
Lentilhas guisadas com tamarindo	86
Puré ou paté de leguminosas – receita básica	87
Puré de grão	88
Puré de feijão branco	88
Puré de lentilhas com cebola caramelizada	90
Favas com caril e tomate no forno	92

CARNE — 95

CARNE DE VACA	97
Bife à café politicamente correcto	98
Carne de vaca salteada com alho francês	99
Bifes com tomilho	100
CARNE DE PORCO	103
Lombo de porco com recheio iraniano	104
Carne de porco salteada com funcho	106

AVES	109
Peitos de frango salteados com tomilho e salsa	110
Frango guisado com manteiga de amendoim	111
Peitinhos de frango com vinagre balsâmico	112
Frango salteado à mediterrânea	113
Frango assado – 2 maneiras de temperar	114
Frango com vinho branco	116
Coxas de frango com laranja e tomilho	117

PEIXE	**119**
Peixe assado com cobertura de azeitonas	121
Salmão fumado	122
Tamboril salteado no *wok* à Bulhão Pato	124
Peixe assado com castanhas	126
Polvo com vinho tinto	127
BACALHAU	129
(Arroz malandro de bacalhau com aipo ou funcho – ver ARROZ)	
Bacalhau com beringela no forno	130
Bacalhau com feijão frade e queijo creme	131
Salada de bacalhau com laranja	132

LEGUMES	**135**
Funcho salteado com *coulis* de tomate	136
Puré de batata-doce e hortelã	137
Pudim de tomate	138
Puré de abóbora	140
Tomate no forno com "puré de favas"	141
Nabiças salteadas	142
Couve portuguesa estufada no seu vapor	143
Salada de aipo com atum e limão	144
Salada de pêra abacate com maçã e camarão	145
Beringelas grelhadas com limão e curcuma	146
Cogumelos, castanhas e endivas estufados	148
Alho francês com vinho branco	149
Legumes estufados com limão e aneto	150

MOLHOS DE SALADA	152
SUGESTÕES DE SALADAS	153

AZEITES DE CHEIRO	155
Azeite de alho caramelizado e ervas frescas	157
Azeite de salva	157
Azeite com cominhos	157
Azeite de manjericão	158
Azeite de coentros, hortelã e manjericão	158
Tomatada com azeite e alho	158

ACEPIPES E ENTRADAS	161
ACEPIPES DOCES	163
Papas de milho e batata-doce	164
Leite de soja com mel e sementes de sésamo	164
Sopa de arroz ou aletria com passas	164
Delícia de fruta com leite de soja e cereais	165
Queijo fresco com gengibre cristalizado	165
Queijo fresco com figos	165
Ricotta ou requeijão com bulgur e mel	166
Abóbora grelhada com requeijão e mel	166
Maçã no microondas com frutos secos	167
Cremoso de manga com leite de soja e hortelã	167
Pêra com lascas de *Parmigiano*	167
ACEPIPES SALGADOS	169
Componha um prato ou sanduíche	170
Pastas de atum	171

DOCES	173
Pêssegos com *coulis* de framboesas	174
Delícia de frutas com espuma de morangos	175
Frutas de inverno com creme de requeijão	176
Creme de requeijão	176
Figos grelhados com requeijão	178
Crumble de abóbora	180

TARTES	183
Massa de tarte	184
Recheio de banana	185
Recheio de maçã	185
Recheio de morangos	186
Recheio de pêssego	186
Bolachinhas de aveia e alperce seco	187
BOLOS QUE FAZEM BEM	189
Bolo de banana	190
Bolo de abóbora	191
Bolo de cenoura	192
Bolo de amêndoas	194
CREMES E OUTROS	197
Queijo com pêra abacate	198
Queijo com diospiros	199
Creme de manga, abóbora e hortelã	200
Delícia de requeijão e banana	201
Creme de banana, hortelã e raspas de laranja	202
Creme de banana e requeijão com espumas	203
ESPUMAS	205
Receita básica	206
Espuma de morango	206
Espuma de pêra abacate	206
Espuma de manga	206
Doce de limão com gengibre cristalizado	208
Panquecas de aveia	209

INTRODUÇÃO

Há bem pouco tempo, a Mónica encontrou em casa da sogra um livro de culinária portuguesa de 1815. Aí, encontrámos condimentos e produtos de uma variedade notável – que, hoje, muitos de nós não se lembrariam de utilizar. O que mais nos surpreendeu, porém, não foi a riqueza da culinária portuguesa, com a qual já estávamos familiarizadas; foi, sim, o excesso de ingredientes nutritivos. Ali encontrávamos sopas que levavam ovos, açúcar, presunto e muito, muito mais; pratos conjugando cinco e mais tipos de carnes com manteigas, natas, queijos! A única explicação possível para um tal excesso é que, com estes ingredientes, se pretendia tornar os pratos mais aconchegadores e desejáveis à luz dos padrões de vida de então.

Mas muito mudou desde essa época; de facto, mudou quase tudo! Hoje, vivemos muito mais tempo e exigimos de nós próprios uma vitalidade mais intensa – pelo menos em relação aos que, na época, consumiam tais pratos. Por isso, com o passar dos tempos, fomos cortando na gordura, no açúcar, nos excessos... mas nunca quisemos abdicar, está claro, das qualidades do sabor e da riqueza e especificidade da tradição.

Assim, partindo da raiz portuguesa da nossa culinária, explorámos a simplicidade, o sabor e o equilíbrio nutritivo que são imperativos indispensáveis do estilo de vida que temos nos nossos dias. Para tal recorremos frequentemente a métodos culinários orientais, que tornam as tarefas mais rápidas e fáceis (sim, porque não são só as quantidades gigantescas de ovos, de açúcar e gordura que não se conjugam com a nossa vida urbana pós-moderna, mas também o tempo da cozinha, deixou de se medir aos dias e passou a medir-se às meias horas, depois de voltar a casa ao fim do dia ou durante as horas perdidas dos fins de semana!).

Cozinhar não pode ser uma tarefa árdua e incomodativa – senão acabaremos todos por escapar para o Fast Food. Há que encontrar na cozinha o prazer das tarefas simples, a verdade da companhia partilhada com quem connosco a come. Reaprendamos a divertir-nos com as cores e o inesperado dos sabores. Há que saber escalar as tarefas, realizando-as por etapas, enquanto se lê o jornal ao domingo, ou durante o serão, por entre os programas de televisão e as conversas domésticas. É importante ensinarmos aos nossos filhos – que dentro em breve irão para as suas próprias casas – como produzir e reproduzir o conforto e o prazer que lhes ensinamos a ter, comendo o que lhes damos. Aos poucos, o que podia parecer complicado e demorado – mais ou menos impossível – torna-se fácil, rápido e acessível.

Com este livro, queremos abrir portas à exploração, encorajar o leitor a construir sobre a riquíssima tradição culinária portuguesa, mas praticando uma vida mais saudável, com uma gama de técnicas culinárias mais simples, rápidas e mais aplicadas à realidade das nossas vidas actuais.

O QUE COMEMOS, COMO O COMEMOS

Este livro tenta enquadrar receitas saborosas numa maneira de comer mais adaptada à vida moderna de larga oferta alimentar, essencialmente sedentária e de extensa longevidade.

QUE PESO DEVO TER?
O QUE COMER?
COMO PLANEAR UMA REFEIÇÃO?
AJUDAS DE EXECUÇÃO

QUE PESO DEVO TER?

As seguintes são as medidas utilizadas para definir *peso equilibrado*:

ÍNDICE MASSA CORPORAL = PESO/(ALTURA X ALTURA)
Normal = 18.5 a 25

CIRCUNFERÊNCIA DA CINTURA e risco de complicações metabólicas:

	RISCO AUMENTADO	RISCO MUITO AUMENTADO
HOMEM	≥ 94 cm	≥ 102 cm
MULHER	≥ 80 cm	≥ 88 cm

O QUE COMER?

É a nossa alimentação e respiração que fornecem ao corpo os seus constituintes, necessários à constante reparação e substituição celular. Intuitivamente, desde há muitos séculos que a medicina tradicional tinha percebido que o que comemos é fundamental para a nossa saúde. Actualmente as ferramentas científicas de que dispomos começam a desvendar ligações mais precisas entre os alimentos, a saúde ou o bem estar e a doença.

Para além dos mais diversos minerais e vitaminas, dividimos no Ocidente os nossos alimentos em 3 tipos de MACRONUTRIENTES:
Proteínas
Hidratos de carbono (complexos e simples)
Gorduras

A RECOMENDAÇÃO GERAL para uma alimentação equilibrada é:
15% de proteínas
50 a 60% de hidratos de carbono complexos
20 a 30% de gorduras
5 a 10% de açúcares simples (para um corpo equilibrado e activo)

Muitas situações médicas beneficiam de ajustes na sua alimentação. Pergunte ao seu médico o que deve comer quando está doente.

Muitos de nós tomamos vitaminas como suplementos, e ainda que isso possa ser um benefício para o nosso corpo, parece sempre haver vantagem em comer as vitaminas e os minerais nas proporções que nos são oferecidas pelos alimentos.

PROTEÍNAS

O nosso corpo não beneficia de excesso de proteína. Divida as fontes de proteína pelo reino animal e vegetal.

Proteínas animais: peixe, carne, ovos e leite

Proteínas vegetais: conjugação de cereais com leguminosas na proporção de 2/1. P. ex.: 1 chávena de arroz com ½ chávena de feijão.

(O tofu, quinoa e amaranto são as proteínas vegetais mais completas)

Proteínas complementares em aminoácidos essenciais:

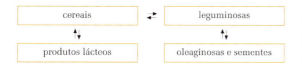

Quantidade média de proteína (gramas) com vida activa e exercício regular para um peso equilibrado: 0.8g **x** peso em Kg

Não abuse dos produtos lácteos.

HIDRATOS DE CARBONO COMPLEXOS (PROTEÍNAS VEGETAIS):

(Os produtos integrais são mais complexos dos que os refinados e mais ricos em vitaminas e minerais). As oleaginosas (nozes, sementes) complementam as leguminosas nos aminoácidos essenciais. As oleaginosas devem ser comidas em pequenas quantidades por serem muito ricas em gordura.

Cereais: arroz, trigo, aveia, centeio, milho painço, cuscuz, milho, quinoa, amarante, cevada.

Leguminosas: feijão, grão, lentilhas, favas, ervilhas, soja.

Os hidratos de carbono complexos têm *índices glicémicos* mais baixos do que os hidratos de carbono simples. Necessitam de menos insulina para o seu metabolismo e são por isso muito melhores para a nossa saúde.

Uma alimentação mais rica em hidratos de carbono complexos diminui o desejo incontrolável (*craving*) por açúcares simples e refinados. Estes açúcares só devem ser consumidos em pequenas quantidades. Actualmente, a nossa alimentação é demasiadamente rica em açúcar, o que contribui para um aumento de obesidade, doenças cardiovasculares, hipertensão arterial, hipoglicémia, má absorção de cálcio, problemas dentários e deficiências imunológicas.

GORDURAS

↑ *gordura vegetal* ↓ *gordura animal*

Vegetais: não têm colesterol – por isso, use azeite ou óleos vegetais; não use margarina nem outras gorduras sólidas, que são ricas em gorduras *trans*, conhecidas por serem cancerígenas. A recomendação actual é a de diminuir a gordura animal (sobretudo as carnes mais gordas) e aumentar a gordura vegetal, salpicando a comida com 1 colher de chá de sementes de sésamo, por exemplo, ou de girassol, abóbora, nozes, amêndoas ou avelãs.

ATENÇÃO: o azeite tem o mesmo número de calorias que as outras gorduras e óleos (120 calorias por colher de sopa). Todas as gorduras e comidas ricas em gordura podem levar a excesso de peso. Ora, como sabemos, o excesso de peso aumenta o risco de doenças cardiovasculares, alguns cancros, diabetes, hipertensão arterial e problemas músculo-esqueléticos. Se tem que controlar o seu peso, consuma gorduras – incluindo azeite – em quantidades muito moderadas.

LEGUMES VERDES E SALADAS

Coma à vontade. São ricos em fibra, minerais e vegetais. Pelo seu alto teor em água diminuem a *densidade energética* da sua refeição.

PIRÂMIDE MEDITERRÂNICA TRADICIONAL

COMO PLANEAR AS REFEIÇÕES

AÇÚCARES OU HIDRATOS DE CARBONO SIMPLES

Mesmo que não coma açúcar refinado, a sua alimentação já lhe oferece muitos hidratos de carbono simples. Se estiver em equilíbrio com o seu corpo, a recomendação é a de não ultrapassar os 10% das nossas calorias diárias totais em açúcar simples. Existem açúcares menos refinados e por isso melhores para a nossa saúde.

SAL

Sal e açúcar não devem ser abusados no dia-a-dia. Com o tempo, a elasticidade das nossas células vai-se gastando como a de um elástico. Vá ajustando a quantidade de sal à sua idade – cada vez menos. Em vez disso, condimente com vinagres com sabores, ervas frescas ou outras especiarias.

1 colher de chá tem 2,4g de sódio ou 5g de sal.

Pode trocar o almoço com o jantar, mas faz mais sentido fisiológico comer o peixe e a carne ao almoço, a não ser que vá ter uma noite movimentada. Tente introduzir produtos integrais em algumas das suas refeições. Não carregue as sopas com muita batata, especialmente antes de servir peixe ou carnes.

Evite 2 refeições de proteína animal no mesmo dia. Se comeu muita proteína a uma refeição a outra deve ser apenas uma refeição leve.

Diminua a *densidade energética* das suas refeições com legumes e saladas.

Tenha uma noção da quantidade de proteína que o seu corpo necessita.

PARA TODOS NÓS

A proteína deve ser comida ao longo do dia. Ao almoço digerimos melhor a proteína animal. Ao jantar os hidratos de carbono complexos, sem excesso de gordura, tendem a dar bom sono e o nosso corpo lida melhor com gases na posição horizontal.

Não tem que comer proteína a todas as refeições. Em dias em que faz mais exercício o seu corpo aguenta mais proteína, para fazer reposição muscular. A qualidade da proteína da nossa dieta é fundamental. Espalhe acepipes *(snacks)* pelo dia fora e use os hidratos de carbono complexos para matar a vontade de açúcares simples. O açúcar simples deve ser apenas um adorno na nossa alimentação, guarde-o para ocasiões especiais e festas.

Aprenda aos poucos a saborear sobremesas menos doces – esse é um dos males dos hábitos alimentares dos portugueses, que se habituaram por razões históricas a comer doces muito doces. Acredite: consegue-se mudar o paladar!

AJUDAS DE EXECUÇÃO

Prepare com antecedência tudo que "pode esperar" – não cozinhe tudo à última hora. Existem tarefas que podem ser partilhadas com os familiares enquanto conversamos.

Traga todos os dias para casa um vegetal fresco e uma salada. Faça as leguminosas 1 vez por semana e congele-as. Para acompanhar uma leguminosa basta fazer um cereal ou legumes/saladas – tudo coisas de preparação rápida.

Marine as aves e o peixe, fica tudo muito saboroso.

Sirva a sobremesa depois de limpar a cozinha: dá uma pausa ao estômago e dá-lhe tempo para compor qualquer coisa bonita.

Guarde restos e improvise.

COMO DIMINUIR A QUANTIDADE DE GORDURA NA NOSSA ALIMENTAÇÃO?

Coma menos carne e derivados no dia-a-dia.

Guarde queijos gordos só para os dias de festa.

Quando o cozinhado se está a queimar e necessita de mais molho, em vez de usar mais azeite ou outra gordura, use quantidades pequenas de caldo.

GLOSSÁRIO

ABREVIATURAS

colher de sopa ·························· csopa = 15ml
colher de chá ····························cchá = 5ml
colher de café ······························ ccafé
chávena ································· cháv = 240ml

ACEPIPE (SNACK, TAPAS) um acepipe é um prato que se come fora das refeições ou à sua margem. Serve para tirar a fome entre as refeições ou para entreter num momento de lazer. A palavra inglesa *snack* é mais comum. As *tapas* espanholas têm a mesma função, mas… de um ponto de vista de saúde, nem sempre são recomendáveis.

LISTA DE INGREDIENTES: frutas coloridas, frutos secos, flocos de aveia integrais finos e grossos, tapioca, leite de soja, "restos" de leguminosas, "restos" de estufados de legumes, queijo fresco, queijo fresco creme batido, requeijão, mel, sementes variadas (sésamo, girassol, abóbora), nozes e amêndoas, pão escuro, alface, tomate, endivas, cogumelos, legumes frescos, atum, caldos ou sopas

ANETO (Port. funcho-bastardo, Ingl. dill, Franc. aneth). Folhas miúdas do funcho. É muito usado como condimento para peixes. Nem sempre é fácil encontrá-lo em Portugal. Delicioso sobre salmão fumado ou marinado, por exemplo.

BACALHAU

PARA DEMOLHAR O BACALHAU SECO: ponha as postas num passador com a pele do bacalhau virada para cima para não deixar o sal acumular entre a pele e a carne. Coloque este passador num recipiente com muita água. Mude a água pelo menos 3 vezes. Deve estar de molho pelo menos 24h. Para quem tem que comer uma dieta sem sal, o bacalhau mesmo muito demolhado é sempre rico em sal.

CARNE

INFORMAÇÃO NUTRITIVA: a composição da carne depende do tipo de animal, da sua idade e da sua dieta.

Em geral a carne contém cerca de 19% de proteína completa.

A quantidade de gordura é variável entre 2 a 10g por 100g com influência directa na quantidade de calorias.

A carne não tem fibra, é uma excelente fonte de vitaminas do complexo B, zinco, potássio, fósforo e ferro. A maior parte das vitaminas e minerais da carne não são destruídos ao ser cozinhada… COMO COMPRAR: escolha carne *de grão fino*, firme e macia. O bife deve ser vermelho vivo, o porco rosado, carneiro rosa escuro e o borrego um rosa mais pálido. A cor da vitela depende da quantidade de ferro na dieta. Tente comprar carne biológica.

CEREAIS

INFORMAÇÃO NUTRITIVA: *8 a 15% de proteína* que, apesar de ter todos os aminoácidos essenciais, é normalmente pobre em lisina. Daí a noção de que o cereal é uma proteína incompleta. Deve combinar-se os cereais com leguminosas para equilibrar os aminoácidos essenciais.

1 a 7% de gordura na forma de ácidos gordos poliinsaturados.

60 a 80% de hidrato de carbono, principalmente na forma de amido, um hidrato de carbono complexo de absorção lenta que provoca uma sensação de saciedade de acção prolongada.

O feijão de soja é mais rico em gordura.

OS CEREAIS SÃO RICOS EM: ferro, fósforo, magnésio e zinco. Vitaminas do complexo B concentradas nas camadas mais externas do cereal. Os produtos refinados não têm praticamente vitamina B (farinha ou arroz branco). O processo de refinamento também *limpa* quase toda a vitamina E.

O *ácido fítico* é frequentemente acusado de diminuir a absorção de cálcio e outros minerais. No entanto, não se parece demonstrar que seja um efeito significativo numa dieta com quantidades apropriadas de proteínas, vitamina C e minerais. Para além disso muitos dos cereais são ricos em fitase, um enzima que degrada o ácido fítico.

O *glúten* está presente em quantidades muito variáveis na proteína do cereal. É o glúten que incha depois de fermentada a massa do pão. Só as farinhas de trigo e centeio é que têm quantidades significativas de glúten.

COULIS é um puré de frutos ou legumes crus ou cozidos e passados num *passe-vite.*

CURCUMA (açafrão-da-Índia, turmeric) é uma raiz, do tipo do gengibre. Como é raro encontrar fresco em Portugal (na Tailândia e Índia, por exemplo, é comum) compra-se em pó de cor amarela.

GELATINA VEGETAL (AGAR AGAR) compra-se, nas lojas de produtos orientais ou naturais, em molho de tiras largas ou em saquinhos de pó. Usa-se em pequenas quantidades.

GENGIBRE raiz fresca, à venda em muitos supermercados. Guarde em local fresco ou nas gavetas de baixo do frigorífico. Não é preciso descascar.

GENGIBRE CRISTALIZADO rodelas de gengibre preservadas com açúcar cristalizado. Tem um gosto forte mas delicioso. Está à venda nas lojas chinesas de Lisboa.

LEGUMINOSAS

INFORMAÇÃO NUTRITIVA POR 100g JÁ COZINHADOS:

- 6 a 9g de proteína
- 0.1 a 0.9g de gordura
- 18 a 28g de hidrato de carbono complexo
- 5 a 8g de fibra
- 105 a 140 calorias

AS LEGUMINOSAS SÃO RICAS: em ácido fólico e potássio, são uma boa fonte de ferro, magnésio e também fornecem cálcio, zinco, tiamina e cobre. São ricas em fibra. As leguminosas frescas e os rebentos também contêm uma pequena quantidade de vitamina C.

Para facilitar a absorção de ferro das leguminosas devem ser acompanhadas de alimentos ricos em vitamina C, tais como couves, citrinos e pimentos doces.

Evite acompanhar com chá: o tanino interfere com a absorção do cálcio.

COMO COMPRAR: escolha grãos intactos, coloridos de tamanho uniforme e lisos (excepto o grão que é rugoso).

COMO GUARDAR: podem durar 1 ano, se guardados em frascos sem entradas de ar, em local fresco e seco. Cozinhadas, podem ficar no frigorífico cerca de 5 dias. Pode congelar durante 3 meses. Antes de congelar, escorra.

COMO ACOMPANHAR: a proteína das leguminosas é geralmente incompleta, faltando um ou mais aminoácidos essenciais. No entanto, se durante o mesmo dia comer cereais ou uma pequena quantidade de oleaginosas (nozes e sementes), a proteína já fica completa.

Em geral, as leguminosas, por serem ricas em fibra, aceleram o trânsito intestinal. São também conhecidas por causarem gases. Deve evitar-se associar leguminosas com gordura em excesso, porque as torna indigestas. A gordura desacelera o trânsito intestinal, retendo mais tempo as leguminosas no intestino, o que causa gases. Se comermos as leguminosas à noite temos menos problemas, porque os gases são expelidos mais facilmente na posição deitada.

Por serem hidratos de carbono complexos, as leguminosas libertam energia lentamente e são fonte de serotonina e noradrenalina.

Quando acompanha uma leguminosa com cereais, como o arroz ou o cuscuz, a proporção deve ser por exemplo de 1 chávena de arroz para 1/2 chávena de leguminosas, isto é de 2:1. Se já comeu cereais a outra refeição, as suas leguminosas ficam igualmente deliciosas apenas com muitos vegetais, saladas e salpicos de nozes e sementes.

LEITE DE SOJA bebida feita a partir do grão da soja, rico em fitoestrogéneos naturais. *Para usar em pratos salgados* (por exemplo, em purés), o leite de soja simples de origem Holandesa é uma boa escolha, por não ter nenhum açúcar ou sabor adicionado. À venda em muitos supermercados. Existem leites de soja com vários sabores, uns enriquecidos com cálcio outros simples.

LENTILHAS existem vários tipos de lentilhas de diferentes cores e tamanhos. Nos nossos supermercados já se encontram lentilhas verdes e vermelhas. As lentilhas vermelhas não precisam de ficar de molho. São rápidas de cozinhar e geralmente ficam em forma de puré. As lentilhas verdes demoram 60 min. a cozinhar; as vermelhas 20 a 30 min. Se usar panela de pressão, ponha um pingo de azeite, para que a espuma que se forma não bloqueie a válvula de segurança.

NATAS DE SOJA muito menos gordas do que as natas do leite de vaca, não têm colesterol. Não se consegue fazer *chantilly* com elas.

ÓLEO DE SÉSAMO óleo feito de sementes de sésamo, à venda nas lojas chinesas e de produtos naturais. Tem um gosto muito intenso.

PEIXE

COMO COM PRAR BOM PEIXE:

Os olhos devem estar brilhantes e não encovados.

As escamas devem ter brilho.

A carne do peixe deve ser firme em consistência e rosa em tom.

As guelras devem estar húmidas e de cor vermelha viva.

INFORMAÇÃO NUTRITIVA: em matéria de gordura, o peixe pode ser pobre, médio ou gordo. O bacalhau só tem 5% de gordura (75 a 125 calorias por 100g), os médios como os da família hipoglosso (*rodovalho, pregado*) têm 5 a 10% de gordura (125 a 150 calorias por 100g) e os peixes gordos, como o salmão, têm mais do que 10% de gordura (mais do que 150 calorias por 100g).

O peixe tem cerca de 15 a 20% de proteínas completas.

É rico em minerais e vitaminas incluindo fósforo, iodo, flúor, cobre, vitamina A, magnésio, ferro, zinco, selénio e vitaminas do complexo B. O peixe gordo é uma excelente fonte de vitamina D. O peixe não é uma fonte de cálcio. Só se obtém cálcio dele, se se comer as espinhas do salmão ou das sardinhas em lata.

COMO ABRIR E DESOSSAR UM PEIXE:

Deite o peixe, já limpo, de lado.

Segure a cabeça com uma mão;

Com uma tesoura, siga a curva da barriga e abra a pele até ao rabo.

Enfie uma faca afiada neste corte e avance horizontalmente com a lâmina deitada contra a espinha, até o peixe ficar inteiramente aberto e a espinha completamente exposta;

Parta a espinha junta ao rabo com uma tesoura;

Enfie a faca por baixo da espinha e mexa horizontalmente para extrair a espinha agarrada à cabeça.

Pode cortar-se com uma tesoura a pele que liga os 2 filetes ou, então, se é para rechear, deixá-los juntos para poder fechar melhor.

O PEIXE E A POLUIÇÃO: As recomendações actuais para minimizar o risco de intoxicação são:

evitar comer mais de 350g por semana de diferentes peixes,

escolher peixes com menor probabilidade de intoxicação (peixe pequeno do Oceano),

grávidas, mulheres a amamentar e crianças, devem evitar os peixes com maior probabilidade de intoxicação (peixes grandes, predadores).

POLVO

PARA TER UM POLVO TENRO:

Se comprar fresco, comece por congelar.

Coloque o polvo de novo descongelado numa panela e cubra com água.

Aqueça até levantar fervura e baixe o lume:

se for para fazer salada de polvo basta cozer 5 a 10 minutos,

se for para guisar ou fazer arroz, deixe fervilhar durante 30 minutos,

se for para assar, deixe fervilhar 45 minutos.

Retire o polvo e corte da maneira indicada nas receitas.

O caldo da cozedura é óptimo para fazer um arroz seco ou malandro.

QUEIJO FRESCO TIPO CREME vende-se em todos os supermercados em recipientes plásticos de 500g de várias marcas. Compre magro se tem problemas de peso ou de colesterol.

SEMENTES DE SÉSAMO à venda nas lojas de produtos orientais ou naturais, normalmente cruas. Por isso, precisam de ser torradas em frigideira sem óleo em lume brando. São melhor absorvidas se as esmigalhar num almofariz antes de as usar.

TAMARINDO vende-se em pasta ou em vagem seca nas lojas de produtos orientais ou nos melhores supermercados. É originário da Índia. É um fruto de uma árvore que cresce em climas tropicais. Estes frutos têm a forma de uma vagem com várias sementes rodeados de uma polpa fibrosa. Esta polpa é doce e ácida. Existem vários subprodutos do tamarindo, incluindo a pasta. Pode ser substituído por limão, mas sem o mesmo resultado. O sumo de 1 limão é equivalente ao sumo de 1 colher de sopa de tamarindo diluída em 1/2 chávena de água. O tamarindo é uma excelente fonte de potássio, magnésio, tiamina e ferro. Contém fósforo, riboflavina, niacina, cálcio, vitamina C e fibra. Tradicionalmente diz-se que o tamarindo é laxante, estimula a vesícula biliar e a função hepática.

WASABI (JAP.) mostarda de rábano verde. Acompanhamento obrigatório para peixe cru, pode ser usada como condimento em muitos outros pratos. À venda nas lojas de produtos orientais ou nos melhores supermercados.

CALDOS Os caldos são uma base saborosa para muitas receitas na nossa cozinha. Podem usar-se para fazer sopas, cozer leguminosas, fazer açordas, fazer molhos, despegar do fundo da panela cozinhados caprichosos sem carregar na gordura, etc.. Se já estiverem preparados no nosso congelador, poupa-se muito tempo e podem transformar uma receita banal numa delícia culinária.

São uma óptima ocasião para reciclagem!

CALDO DE PEIXE

CALDO DE CABEÇAS DE PEIXE

Quando comprar um peixe, peça para ficar com a cabeça à parte.

Lave e congele.

Quando tiver 3 a 4 cabeças, coza as cabeças em 1½ litro de água, com um pedaço de gengibre e uma cebola.

Deixe ferver em lume brando durante meia hora. Deixe repousar durante umas horas.

Tire as espinhas e divida o caldo em doses de ± ½ litro.

Congele, mas só depois de ter deixado o caldo umas horas na parte debaixo do frigorífico.

* Quando cozer peixe ou bacalhau, pode guardar a água da cozedura para usar como caldo.

CALDO DE CASCAS DE CAMARÃO

Compre um 1kg de camarões crus com casca.

Descasque e use o miolo no mesmo dia, se forem camarões congelados.

Ferva as cascas e cabeças em 2 litros de água.

Deixe ferver em lume brando durante meia hora.

Deixe repousar durante umas horas.

Tire as cascas e divida o caldo em doses de ± ½ litro.

Congele, mas só depois de ter deixado o caldo umas horas na parte debaixo do frigorífico.

Também se pode usar cascas de camarão cozido. Quando comer camarão, guarde as cascas e cabeças e coza da mesma maneira com menos água.

* É ideal par fazer arroz ou açorda de mariscos.

CALDO DE AVES

CALDO DE CARCAÇA DE FRANGO

Compre um frango inteiro, tire as asas e as pernas e os dois peitos para fazer um prato de frango estufado ou a vapor.

Tire a pele e a gordura agarradas à carcaça.

Lave e ferva em 1½ litro de água, com um pedaço de gengibre e uma cebola.

Deixe ferver em lume brando durante meia hora.

Deixe repousar durante umas horas.

Tire os ossos.

Divida o caldo em doses de ±½ litro.

Congele, mas só depois de ter deixado o caldo umas horas na parte debaixo do frigorífico.

CALDO DE CODORNIZ

Lave 2 codornizes.

Se quiser um caldo com pouca gordura tire a pele.

Ferva num litro de água com um pedaço de gengibre e uma cebola.

Deixe ferver em lume brando durante meia hora.

Deixe repousar durante umas horas.

Divida o caldo em doses de ±1/2 litro.

Congele, mas só depois de ter deixado o caldo umas horas na parte debaixo do frigorífico.

* Pode aproveitar as codornizes cozidas para fazer escabeche ou salada.

CALDO DE CARNE

CALDO DE CARNE DE VACA COM ESTRELAS DE ANIS

Ponha 1 kg de carne magra a ferver em lume brando durante 1 hora em 2 litros de água com 2 estrelas de anis, 1 cebola e um pedaço de gengibre.
Deixe repousar durante umas horas.
Divida o caldo em doses de ±½ litro.
Congele, mas só depois de ter deixado o caldo umas horas na parte debaixo do frigorífico.

* Pode fazer um prato de caril com a carne.

CALDO DE OSSO DE PRESUNTO

Compre pedaços de osso de presunto na charcutaria.
Ponha a ferver em lume brando durante 1 hora em 2 litros de água.
Deixe repousar durante umas horas.
Divida o caldo em doses de ±½ litro.
Congele, mas só depois de ter deixado o caldo umas horas na parte debaixo do frigorífico.

* Quando fizer costeletas de porco, também pode aproveitar os ossos para fazer caldo.

CALDO DE LEGUMES

RECEITA RÁPIDA

Coloque 2 cenouras descascadas, o caule (a parte branca) de 1 alho francês, 1 cebola e um pedaço de gengibre a fervilhar durante ½ hora num litro de água.

Deixe repousar durante umas horas.

Escoe e divida o caldo em doses de ±½ litro.

Congele, mas só depois de ter deixado o caldo umas horas na parte debaixo do frigorífico.

RECEITA DE UM CALDO MAIS RICO

4 cháv de vegetais cortados variados (*bolbo do funcho, alho francês, ervilhas tortas, cogumelos frescos, tipo míscaros, nabo, dentes de alho, etc.*),

4 cebolinhas

ervas aromáticas (*pode juntar, p. ex., tomilho, hortelã, ramo de salsa, ramo de coentros*)

¾ de cchá de sal grosso

¾ de cchá de açúcar

1 cchá de azeite extra virgem

Ponha todos os ingredientes a ferver num litro de água.

Quando levantar fervura baixe o lume e deixe ferver em lume brando durante 30 a 45 minutos até o caldo estar reduzido a cerca de metade.

Escoe o caldo através de passador fino espremendo os legumes para aproveitar todo o líquido.

Congele, mas só depois de ter deixado o caldo umas horas na parte debaixo do frigorífico.

Pode guardar o caldo 5 dias no frigorífico ou 2 meses no congelador.

SOPAS A sopa é uma tradição nas casas portuguesas. É um alimento reconfortante e nutritivo que pode abrir uma refeição, servir de prato principal ou de acepipe. Escolha a sua sopa, de modo a equilibrar a refeição. Se vai comer peixe ou carne, escolha uma sopa leve, tipo caldo com alguns legumes frescos cortados e pouco fervidos. Se a sua refeição é vegetariana, a sopa pode ser mais nutritiva com cereais ou leguminosas para além das verduras. Se tem problemas de refluxo, deve evitar a combinação de sólidos e líquidos ao jantar.

SOPA DE COURGETTES COM QUEIJO

PARA 4 A 5 PESSOAS

2 courgettes
½ litro de água
½ litro de leite de soja
½ queijinho de cabra não curado (± 50g)
ou ½ cháv de requeijão de ovelha
sal e pimenta ao gosto

CALORIAS

2 courgettes (aboborinha) ·········· 80 cal
50g de queijinho de cabra ··········· 71 cal
½ litro de leite de soja ··············· 160 cal
Por pessoa (4) ··························· 78 cal

Ponha as courgettes a ferver na água.
Deixe cozer até ficarem moles (± 5 minutos).
Junte o queijo e reduza a puré com a varinha mágica.
Junte o leite de soja.
Deixe levantar fervura e tempere com sal e pimenta.

COMENTÁRIO: a pequena quantidade de queijo desta sopa dá-lhe sabor e reforça uma refeição vegetariana com um pouco de cálcio e proteína. O requeijão é menos gordo do que o queijo de cabra. Se quiser pode tornar esta sopa numa refeição ligeira aumentando a quantidade de courgette e queijo e acompanhando com fatias de pão escuro barrado com um fio de azeite e uma boa salada.

CALDO VERDE COM ABÓBORA

PARA 6 PESSOAS

1 kg de abóbora aos cubos

2 cebolas médias cortadinhas

200g de folhas de couve galega cortadinhas

2 csopa de azeite

1½ litro de água (ou caldo de escolha)

sal e pimenta a gosto

chouriço (opcional)

CALORIAS

1kg de abóbora	120 cal
2 cebolas médias	120 cal
200g de couve galega	50 cal
2 csopa de azeite	240 cal
Por pessoa (6)	88 cal

Aqueça o azeite em lume médio numa panela.

Aloure as cebolas.

Junte os cubos de abóbora e a água (ou o caldo).

Deixe levantar fervura e baixe o lume a médio.

Deixe cozinhar até a abóbora ficar mole (± 15 minutos).

Bata com a varinha mágica para obter um creme.

Antes de servir, deixe levantar fervura outra vez e acrescente a couve.

Apague o lume quando voltar a ferver.

Sirva com (ou sem) uma rodela de chouriço para cada pessoa.

COMENTÁRIO: a abóbora é uma substituição deliciosa da batata nesta sopa tão saudável. É rica em carotenos – os pigmentos responsáveis pela cor amarela no mundo natural. Os carotenos são antioxidantes e não são destruídos quando cozinhados.

SOPA DE CENOURA COM TANGERINA E HORTELÃ

PARA 6 PESSOAS

6 cenouras

2 cebolas médias cortadinhas

sumo e casca de 2 tangerinas

2 raminhos de hortelã, guarde à parte umas folhas novas

2 csopa de azeite

1½ litro de água (ou de caldo de frango, de carne ou de legumes)

sal e pimenta a gosto

CALORIAS

6 cenouras	210 cal
2 tangerianas	70 cal
2 cebolas médias	120 cal
2 csopa de azeite	240 cal
Por pessoa (6)	106 cal

Aqueça o azeite em lume médio numa panela.

Aloure as cebolas.

Junte a água (ou o caldo) e as cenouras descascadas e cortadas em pedaços.

Deixe levantar fervura e baixe o lume a médio.

Deixe fervilhar até as cenouras ficarem moles (± 15minutos).

Bata com a varinha mágica para obter um creme.

Junte o sumo de tangerina e raspas de casca.

Junte os ramos e as folhas mais velhas da hortelã à sopa.

Tempere com sal e pimenta a gosto.

Enfeite com as folhas novas de hortelã quando servir.

* Pode substituir a cenoura por abóbora e a tangerina por laranja.

COMENTÁRIO: esta sopa é deliciosa para abrir uma refeição vegetariana. A cenoura tem um índice glicémico mais alto do que os outros vegetais. As cenouras, sobretudo já cozinhadas, são a melhor fonte de beta carotenoides (convertem-se no nosso corpo em vitamina A).

SOPA DE ERVILHAS COM PRESUNTO

PARA 6 PESSOAS

500g de ervilhas

1 cebola grande cortadinha

2 csopa de azeite

1½ litros de caldo de presunto

(ou de água)

100g de presunto picadinho

sal e pimenta a gosto

CALORIAS

500g de ervilhas ·························· 330 cal

1 cebola grande ·························· 70 cal

2 csopa de azeite ···················· 240 cal

100g de presunto ···················· 150 cal

Por pessoa (6) ························ 132 cal

Aqueça o azeite em lume médio numa panela.

Aloure a cebola.

Acrescente as ervilhas e o caldo.

Deixe levantar fervura e baixe o lume ao médio.

Fervilhe até as ervilhas ficarem moles (± 10 minutos).

Bata com a varinha mágica para obter um creme.

Tempere com sal e pimenta a gosto.

Sirva com uma pitada de presunto na superfície.

COMENTÁRIO: uma sopa mais calórica, mas deliciosa para acepipe ou refeição leve. Se está em restrição calórica pode sempre cortar no presunto, que pode servir só para dar sabor. Pode salpicar com sementes de sésamo ou outras sementes. As ervilhas congeladas não perdem as suas qualidades nutritivas. São fonte de beta caroteno, vitamina B1, niacina, ácido fólico e vitamina C.

SOPA DE COUVE-FLOR

PARA 6 PESSOAS

1 cabeça de couve-flor (±800g) lavada
e cortada aos pedaços
1 dente de alho
l litro de água (ou caldo de legumes)
200ml de natas de soja
1 cchá de *Parmigiano* por pessoa
sal e pimenta fresca ralada a gosto
salsa picada para enfeitar

CALORIAS

800g de couve-flor ···················· 252 cal
200ml de natas de soja ···············348 cal
1 cchá de *Parmigiano*/pessoa ········ 25 cal
Por pessoa (6) ···························· 104 cal

Ponha a água a ferver com o alho e a couve-flor.

Deixe ferver ± 5 minutos.

Em lume baixo, junte as natas de soja – deixe aquecer apenas.

Junte o sal.

Bata com a varinha mágica ou no copo misturador.

Sirva em taça com 1 colher de chá de queijo ralado *Parmigiano* no fundo, salpicada de salsa, pimenta preta e com um fio de azeite.

COMENTÁRIO: tal como as outras couves, a couve-flor deita um cheiro sulfuroso se cozinhada tempo de mais. As folhas verdes da couve-flor são muito ricas em cálcio, pode usar as mais tenras para saltear, ou em sopa. O queijo *Parmigiano* é muito rico em cálcio, cada colher de chá tem 50g de cálcio. As natas de soja têm a vantagem de ter menos gordura e nenhum colesterol.

SOPA DE LENTILHA COM MAÇÃ

PARA 6 PESSOAS

200g de lentilhas verdes de molho 4h

2 maçãs reinetas descascadas e arranjadas

1 cebola cortadinha

2 csopa de azeite

1½ litro de água (ou caldo de osso
ou de legumes)

coentros cortadinhos

sal e pimenta a gosto

CALORIAS

200g de lentilhas	596 cal
1 cebola média	60 cal
2 maçãs	160 cal
2 csopa de azeite	240 cal
Por pessoa (6)	176 cal

Aqueça o azeite em lume médio numa panela.

Aloure a cebola.

Acrescente a água (ou o caldo) e a lentilha.

Deixe levantar fervura e baixe o lume ao médio.

Deixe fervilhar durante ± 20 minutos.

Acrescente as maçãs cortadas em pedaços.

Deixe cozinhar durante mais 10 minutos.

Bata com a varinha mágica sem desfazer por completo a lentilha.

Tempere com sal e pimenta a gosto.

Sirva com um pouco de coentros na superfície.

COMENTÁRIO: esta sopa já oferece parte da proteína duma refeição. Se lhe juntar pão para acompanhar ou umas fatias de pudim de milho e uma boa salada ou legume verde, já fica uma refeição leve ou acepipe. A lentilha é uma fonte excelente de ácido fólico. O seu alto teor de fibra ajuda os intestinos a funcionar. Como as lentilhas fazem bastantes gases, recomendam-se doses pequenas, bem cozinhadas, sem carnes e de preferência ao jantar.

CALDO DE VERDURAS COM BATATA-DOCE

PARA 6 PESSOAS

1 litro de caldo de legumes (fica bem com o caldo de leguminosas)
1 cháv de batata doce aos cubos
½ alho francês às rodelas
1 cenoura às rodelas
2 csopa de azeite
½ ramo de coentros picados
sal, pimenta ou piripiri a gosto

CALORIAS

1 cháv de batata-doce ·············· 240 cal
½ alho francês ····························· 30 cal
2 csopa de azeite ····················· 120 cal
1 cenoura ································· 40 cal
Por pessoa (6) ························· 71 cal

Aqueça o caldo até levantar fervura.
Junte as cenouras, as batatas e o alho francês.
Ferva até a batata estar cozida (uns 8 a 10minutos).
Desligue o lume.
Junte o azeite e ajuste o sal.
Sirva o caldo com um pouco dos vegetais para cada pessoa.
Junte os coentros já nas taças de servir.

COMENTÁRIO: a batata-doce é mais rica em açúcar do que a batata, mas é uma excelente fonte de carotenoides. Também é rica em cálcio, vitaminas A, C e tiamina. Pelo seu teor em hidratos de carbono, esta sopa abre bem uma refeição vegetariana. Existe uma versão doce deste caldo com açúcar de cana, gengibre e pedaços de batata doce. Uma deliciosa guloseima!

SOPA DE BELDROEGAS

PARA 4 A 5 PESSOAS

1 ramo de beldroegas de ± 600g
(para ficar com ± 300g de folhas
e raminhos tenros)

2 cebolas cortadinhas

2 cabeças inteiras de alho com casca

2 nabos descascados e cortados em
rodelas grossas

3 csopa de azeite

2 litros de água ou caldo

3 fatias fininhas de pão alentejano por
pessoa, ± 30g

1 queijinho de cabra não curado dividido
em partes conforme o número de pessoas

1 ovo/pessoa (opcional)

CALORIAS

300g de beldroegas ···················· 51 cal

2 cebolas médias ······················ 120 cal

2 nabos (200g) ························· 46 cal

3 csopa de azeite ····················· 360 cal

150g de pão ·························· 390 cal

100g de queijinho de cabra ······· 142 cal

1 ovo (opcional) ····················· 70 cal

Por pessoa (5) ························ 235 cal

Arranje e lave as beldroegas, fique só com as folhas e os raminhos tenros.

Aqueça o azeite num tacho e aloure as cebolas.

Junte a água já aquecida, as cabeças de alho INTEIRAS e os nabos.

Quando levantar fervura, baixe o lume e deixe fervilhar durante 15 minutos.

Se quiser adicionar ovos, aproveite este caldo para escalfar os ovos da seguinte forma:

encha uma concha de caldo quente,

coloque o ovo descascado, gema e clara juntas, na concha,

mergulhe com cuidado a concha no caldo a fervilhar,

deixe ficar sem mexer até a clara ficar branca (± 1 minuto) e a gema ainda mole.

Ponha o ovo, sem o caldo, em cima de 2 a 3 fatias de pão numa tigela individual.

Guarde ao lado para servir.

Junte as beldroegas ao caldo e deixe cozer mais 10 minutos.

Junte o queijinho ao fim de 5 minutos.

Tempere com sal e pimenta a gosto e desligue.

Sirva a sopa nas tigelas em cima do pão e do ovo, com um pedaço de queijo por tigela.

COMENTÁRIO: prato tradicional alentejano delicioso, uma sopa rica que é uma refeição em si. As beldroegas, também chamadas *Portulacea,* são uma fonte excelente de potássio e magnésio. Contêm também vitamina A. Encontram-se muitas vezes a crescer na rua, nos meses de Julho e Agosto.

CEREAIS E OUTROS Há mais de 10.000 mil anos que a espécie humana introduziu os cereais na sua alimentação. O desenvolvimento das cidades, com a sua vida mais sedentária, coincidiu com o aperfeiçoamento de técnicas de irrigação e cultivo dos cereais. Cada continente tem um cereal dominante. No Oriente, é o arroz, da Índia ao Atlântico, predomina o trigo e cevada, no Norte da Europa, o centeio e aveia, na América, o milho, em África, o sorgo e milho. Todos estes cereais estão à venda nas nossas lojas. Se prefere e se pode pagar uma alimentação biológica, também já começa hoje a haver mais escolha de lojas e produtos. Espera-se que, um dia, os preços venham a ser mais acessíveis.

Equilibre a sua alimentação reintegrando nas suas rotinas cereais menos refinados, mais integrais e de diferentes variedades. Para além do arroz, trigo e milho, escolhemos aqui receitas básicas que usam outros cereais (tais como a quinoa) e outras modalidades do trigo (cuscuz, bulgur) que se encontram com facilidade nas nossas lojas.

Os cereais contêm, em geral, 330 a 390 calorias por cada 100g.
(Informação nutritiva veja Glossário)

ARROZ O arroz é originário da Índia. Diz-se que o Budismo, na sua expansão, levou consigo o arroz. Alexandre o Grande, depois das suas campanhas na Índia, trouxe o arroz para a Europa. A prática de "polir" o arroz torna as suas proteínas mais acessíveis, o que é muito importante em países onde o arroz é uma grande parte da dieta. No entanto, por via desse processo, perdem-se muitos minerais e vitaminas úteis, sobretudo as vitaminas B.

ARROZ INTEGRAL

PARA 4 A 5 PESSOAS

2 cháv de arroz integral

4 cháv de água

CALORIA / PROTEÍNA

1 cháv de arroz cozido ············· 218 cal

Lave o arroz no tacho.

Junte a água e ponha a ferver.

Junte sal a gosto.

Quando levantar fervura, baixe o lume para médio-baixo.

Cozer durante 40 minutos meio tapado.

Desligue o lume e deixe descansar mais 10 minutos tapado.

Se quiser usar panela de pressão:

1 chávena de água generosa por chávena de arroz

Deixe cozer 20 minutos em lume baixo DEPOIS DA PRESSÃO ATINGIR O MÁXIMO.

Desligue o lume e deixe descansar 10 minutos antes de libertar o vapor.

* Este arroz integral cozido pode ser usado como ingrediente de base em diversas receitas de arroz, neste caso convém não usar sal e deixar o arroz um pouco menos cozido tirando-lhe o tempo de "descanso".

COMENTÁRIO: o arroz integral é a forma mais nutritiva de arroz. O seu sabor é mais forte do que o arroz branco e, por isso, é tantas vezes rejeitado para quem está habituado apenas a arroz branco. Em geral, o arroz é fonte de magnésio, niacina, vitamina B6, fósforo, zinco e cobre. Só o arroz integral é que contem tiamina (vitamina B1). Se deixar o arroz integral de molho durante a noite ou desde manhã, o arroz coze mais depressa e liberta melhor as vitaminas. Não deixe de introduzir algumas refeições de arroz integral na sua alimentação – é muito bom para a saúde e, se bem cozinhado, fica delicioso. Pode fazer arroz de ervilhas, tomate, saltear, etc..

ARROZ MALANDRO DE BACALHAU COM AIPO OU FUNCHO

PARA 4 A 5 PESSOAS

2 cháv de arroz agulha

6 cháv de água ou caldo (de peixe ou de legumes)

1 posta de lombo de bacalhau de ± 400g

4 caules de aipo cortados em lâminas transversais finas

4 csopa de azeite

2 dentes de alho picadinhos

1 cchá de gengibre picadinho

CALORIAS

2 cháv de arroz cru ····················· 524 cal

400g de bacalhau seco ············· 1168 cal

4 caules de aipo ·························· 40 cal

4 csopa de azeite ····················· 480 cal

Por pessoa (5) ···························· 442 cal

Ferva a água ou caldo.

Coza o bacalhau durante uns 3 minutos.

Retire e guarde de lado.

Frite o alho e o gengibre no azeite em lume médio.

Junte o caldo quente e deixe levantar fervura.

Junte o arroz.

Deixe fervilhar, sem tapar, em lume médio durante ±15 minutos, mexendo frequentemente.

Entretanto, desfie o bacalhau e junte ao arroz.

Junte o aipo 5 minutos antes do fim da cozedura.

Pode-se acrescentar água QUENTE para obter um arroz com mais ou menos líquido.

Tempere com sal, pimenta e piripiri a gosto.

SIRVA IMEDIATAMENTE porque o arroz continuará a cozer no líquido, sobretudo se usar panela de barro.

Quando retirar do lume o arroz deve estar ainda ligeiramente rijo no meio.

* Se usar o arroz integral previamente cozido, por cada 2 cháve-nas junte 4 chávenas de água (ou caldo).

Deixe fervilhar durante 10 minutos com o bacalhau desfiado. Acrescente o aipo no meio tempo.

COMENTÁRIO: este arroz serve de prato principal e deve ser acompanhado com saladas. Se tem excesso de peso esta receita pode fazer-se com uns "cheiros de bacalhau": usando apenas 100g de bacalhau. O aipo tem uma longa tradição de usos medicinais. Parece relaxar o músculo da parede das artérias. Também é usado para tratar obstipação, artrites e gota... Infelizmente parece que o aipo que é vendido nos supermercados é esbranquiçado com gaz etileno para diminuir o amargo natural do aipo! Por isso, quanto mais verde forem os talos mais sabor natural têm!

ARROZ DE ESPARGOS COM VINHO BRANCO

PARA 4 A 5 PESSOAS

2 cháv de arroz agulha
2 cháv de caldo (ou água)
300g de espargos verdes frescos ou
congelados
½ cháv de vinho branco
2 csopa de azeite

CALORIAS

2 cháv de arroz cru	524 cal
2 csopa de azeite	120 cal
300g de espargos	70 cal
½ cháv de vinho	84 cal
Por pessoa (5)	160 cal

Descasque a pele dura dos espargos até ± 1/3 da altura e corte, a começar pela ponta, em pedaços de ± 1cm até à parte rija.

Coza as partes rijas em 3 chávenas de água durante ± 4 minutos. Reduza com a varinha mágica a uma pasta.

Aqueça o azeite num tacho e frite o arroz em lume médio por ± 3 minutos.

Junte o caldo (ou água) já aquecido e a pasta de espargos, deixe levantar fervura e baixe para lume médio.

Coza sem tapar durante 5 minutos, mexendo frequentemente.

Junte os espargos e o vinho branco com lume alto.

Quando voltar a levantar fervura, baixe para lume médio.

Coza sem tapar mais 10 minutos, mexendo frequentemente.

Pode-se acrescentar mais caldo ou água quente para obter um arroz com mais ou menos líquido.

Tempere com sal e pimenta a gosto.

SIRVA IMEDIATAMENTE porque o arroz continuará a cozer no líquido, sobretudo se usar panela de barro.

Quando retirar do lume o arroz deve estar ainda ligeiramente rígido no meio.

* Fica bonito com um ovo escaldado em cima – ponha-o logo depois de temperar.

Se usar arroz integral previamente cozido, por cada 2 chávenas junte 1 chávena de água ou caldo, mais a pasta de espargos. Junte os espargos e o vinho branco logo que levante fervura.

Para uma refeição vegetariana, experimente acompanhar com tomate assado no forno e salada mista salpicada de nozes.

COMENTÁRIO: o espargo já é consumido há mais de 2.000 anos. Tem que ser comido tenro, jovem. Sempre foi conhecido pelos seus benefícios para a saúde e pelas suas características culinárias. É pobre em calorias, rico em água e sabor e contém vários minerais e vitaminas.

ARROZ DE TOMATE, BELDROEGAS E FEIJÃO GORDO

PARA 5 A 6 PESSOAS

2 cháv de arroz agulha

6 cháv de água ou caldo (de peixe
ou de legumes)

3 tomates maduros cortadinhos

100g de feijão gordo fresco

100g de folhas e caules tenros
de beldroegas

1 cebola cortadinha

2 dentes de alho picadinhos

1 cchá de gengibre picadinho

3 csopa de azeite

CALORIAS

2 cháv de arroz cru ···················· 524 cal

100g de feijão gordo ················· 115 cal

100g de beldroegas ··················· 17 cal

1 cebola média ···························· 60 cal

3 tomates ··································· 90 cal

3 csopa de azeite ······················ 360 cal

Por pessoa (6) ··························· 194 cal

Frite a cebola, o alho e o gengibre no azeite em lume médio.

Junte os tomates e deixe fritar ±3 minutos.

Junte a água (ou o caldo) já aquecida.

Acrescente o feijão gordo.

Quando levantar fervura, diminua o lume para médio-baixo e deixe fervilhar TAPADO durante 15 minutos.

Acrescente o arroz, em lume alto.

Quando voltar a ferver, baixe o lume para médio.

Deixe fervilhar, DESTAPADO, durante 10 minutos, mexendo frequentemente.

Junte as beldroegas e deixe cozer sem tapar, mais 5 minutos.

Pode-se acrescentar água QUENTE para obter um arroz com mais ou menos líquido.

Tempere com sal, pimenta e piripiri a gosto.

SIRVA IMEDIATAMENTE porque o arroz continuará a cozer no líquido, sobretudo se usar panela de barro.

Quando retirar do lume o arroz deve estar ainda ligeiramente rígido no meio.

* Se usar arroz integral previamente cozido, por cada 2 chávenas junte 4 chávenas de água (ou caldo).

Deixe fervilhar apenas 5 minutos antes de juntar as beldroegas.

COMENTÁRIO: um prato delicioso para se acompanhar apenas com uma boa salada. A combinação de arroz e feijão completa os aminoácidos essenciais. Se não encontrar beldroegas, use outro legume de folha verde, por exemplo os espinafres.

ARROZ DE CENOURA E PIMENTO

PARA 4 A 5 PESSOAS

2 cháv de arroz agulha

3 cháv de água ou caldo

2 cenouras às rodelas

½ pimento verde às tiras fininhas

2 dentes de alho

1 folha de louro

2 csopa de azeite

CALORIAS

2 cháv de arroz cru ···················· 524 cal

2 cenouras ······························· 70 cal

½ pimento ···························· 12 cal

2 csopa de azeite ···················· 120 cal

Por pessoa (5) ························· 145 cal

Aloure o alho, a folha de louro, as cenouras e o pimento no azeite em lume médio.

Junte o arroz e deixe fritar ± 3 minutos.

Junte a água (ou caldo) já aquecida, sal e pimenta a gosto.

Quando levantar fervura baixe o lume ao mínimo.

Coza TAPADO durante 15 minutos e deixe descansar mais 5 minutos.

Acompanhamento: para uma refeição vegetariana, pode acompanhar com grão cozido com hortelã e salada de tomate com sementes de sésamo. Para fazer estas receitas com arroz integral, siga a receita básica de arroz integral.

COMENTÁRIO: as cenouras são uma das melhores fontes de carotenoides. São também um dos sabores essenciais da culinária. O seu doce natural, equilibrado por boa quantidade de fibra, pode ser aproveitado para doces e salgados. Por seu lado, o pimento é uma fonte muito rica em vitamina C. A vitamina C ajuda a absorção de ferro.

ARROZ DE MÍSCAROS

PARA 4 A 5 PESSOAS

2 cháv de arroz agulha (ou arroz
integral pré-cozido)
3 cháv de água ou caldo
150g de míscaros
2 dentes de alho
1 folha de louro
2 csopa de azeite

CALORIAS

2 cháv de arroz cru	524 cal
150g de cogumelos	40 cal
2 csopa de azeite	120 cal
Por pessoa (5)	114 cal

Desfie os míscaros lavados em tirinhas.

Esprema a água dos míscaros.

Aloure o alho, a folha de louro e os míscaros no azeite em lume médio.

Junte o arroz e deixe fritar ± 3 minutos.

Junte a água (ou caldo) já aquecida e sal e pimenta a gosto.

Quando levantar fervura, baixe o lume ao mínimo.

Coza TAPADO durante 15 minutos e deixe descansar mais 5 minutos.

* Se usar arroz integral pré-cozido, ponha só 2 chávenas de líquido e coza durante apenas 10 minutos.

Se quiser fazer um arroz malandro, aumente a quantidade de água (ou caldo) para 5 chávenas. Depois de levantar fervura, coza sem tapar a lume médio durante 15 minutos, mexendo frequentemente.

COMENTÁRIO: os cogumelos são famosos desde o tempo dos Faraós como delícia culinária, promotores de força ou de veneno. Hoje conhecemos também as suas capacidades de estimulação do nosso sistema imune. Desde que não sejam venenosos, são fáceis de cozinhar e de sabor característico. Muito ricos em água e pobres em calorias, são perfeitos para controlar a *densidade energética* da sua refeição. Infelizmente os cogumelos de produção industrial são muito menos saborosos que os que se apanhavam por esses pinhais a dentro!

ARROZ SALTEADO COM PRESUNTO E SALSA

PARA 4 PESSOAS

4 cháv de arroz cozido frio, branco ou integral

2 csopa de presunto picado ou bacon

1 cchá de casca de limão (ou laranja) raspadinha

1 a 2 cháv de salsa cortadinha (com os talos)

4 csopa de azeite

sal e pimenta a gosto

CALORIAS

4 cháv de arroz cozido	············	1056 cal
60g de presunto picado	············	100 cal
4 csopa de azeite	····················	480 cal
Por pessoa (4)	····························	409 cal

Aqueça o *wok* ou uma frigideira.

Junte o azeite e deixe aquecer.

Passe o presunto e a raspa de limão rapidamente.

Junte o arroz e salteie durante ± 5 minutos. mexendo bem.

Tempere com sal e pimenta.

Junte a salsa e misture bem.

* Convém usar arroz cozido de véspera, de preferência não muito empapado.

Se usar carne crua ou mariscos, frite-os bem antes de juntar o arroz.

Experimente usar rúcula em vez de salsa. Quem não come carne pode improvisar com outros ingredientes, como ovos, mariscos e amêndoas.

COMENTÁRIO: é uma óptima ocasião para improvisar e aproveitar os restos. Com esta técnica de saltear pode improvisar toda uma variedade de pratos de arroz.

TRIGO Nas nossas casas o trigo está sobretudo representado pelo pão, nas suas variadas formas (açorda, massa e farinha para bolos, deliciosas empadas). Juntámos aqui também o cuscuz e o bulgur, cujos sabores são distintos e que são muito fáceis de cozinhar. Tal como com o arroz, o trigo pode ser cozido, guisado ou virar pudim. O glúten constitui uma grande parte da proteína do trigo. Algumas pessoas podem ser alérgicas ao glúten do trigo. Se tem alergias de pele, se o pão lhe causa muitos gases, experimente passar 2 semanas sem trigo e logo verá.

AÇORDAS E MIGAS Tradicionalmente servimos as migas ou açordas, com peixe ou carnes. Uma opção mais leve é acompanhar com vegetais estufados ou salteados e com saladas variadas. Assim, pode usar estes pratos para refeições mais leves de cereal (pão) com legumes e saladas. Para além das calorias do pão, deve adicionar o que junta de azeite, sendo que os outros ingredientes são mais para dar sabor do que para matar a fome.

60g pão: 156 calorias; 1 csopa de azeite: 120 calorias
açorda: ensopado ou papa de pão mais ou menos espessa
migas: pasta consistente feita de pão, pede mais gordura
* É melhor fazer com pão consistente de tipo alentejano ou mafrense, é uma óptima maneira de reciclar pão velho.

AÇORDA TIPO PAPA

pão migado (± 60g por pessoa) de molho
em água ou caldo (o suficiente para
cobrir o pão)
azeite (comece com 1 csopa por cada
60g de pão e ajuste no fim
conforme a saúde e o gosto)
alho a gosto
1 a 2 folhas de louro
ovo (opcional)
coentros picadinhos a gosto

Aqueça o azeite num tacho.

Aloure o alho picadinho e o louro em lume médio.

Junte o pão já mole com o líquido, esmagando.

Pode acrescentar mais água (ou caldo) JÁ AQUECIDA para obter a consistência desejada.

Junte os ingredientes de sabor, p. ex., miolo de camarão ou bacalhau desfiado (em cru).

Deixe fervilhar só o tempo suficiente para cozer estes ingredientes (± 5 minutos), mexendo sempre.

Tempere com sal, pimenta a gosto e ervas aromáticas de escolha.

Há quem goste de escaldar no fim um ovo na superfície.

Deite os coentros em cima quando servir.

Pode pingar mais umas gotas de azeite para dar cheiro e brilho.

* Sugestões de sabor: mariscos, carne de caranguejo, bacalhau demolhado e desfiado, azeitonas picadas, tomates secos, couve (de caldo verde) ou espargos cortadinhos. É óptimo juntar caril.

MIGAS SIMPLES

pão cortado em fatias muito finas
(± 60g por pessoa)
caldo já aquecido (ver Capítulo "Sopas")
ou água
azeite (1 csopa/60g de pão)
alho, cebolas e coentros a gosto

VARIAÇÕES COM
ESPARGOS:
2 a 3 talos/pessoa, cortadinhos

COUVE GALEGA E COMINHOS:
cortada como para o caldo verde
(½ cháv/pessoa)
cominhos a juntar com o tempero

BERINGELA E MANJERICÃO:
± 250g de beringela/240g de pão
(cortada em fatias finas e cozida primeiro
em micro-ondas tapada e a alta potência
ou a vapor durante 3 min)
manjericão, fresco ou seco, a juntar com o
tempero

ABÓBORA E HORTELÃ:
60g de abóbora/60g de pão, cortadinha
hortelã picada a juntar com o tempero

Salpique o pão cortado em fatias fininhas com água.
Aqueça o azeite numa grande frigideira anti-aderente.
Aloure em lume médio o alho picadinho. *
Junte o pão.
Acrescente, pouco a pouco, caldo (ou água) já aquecido.
Tape um pouco para amolecer o pão mais rapidamente.
Tempere com sal, pimenta a gosto e coentros (opcionais).
Com 2 espátulas de madeira, pressione a pasta para formar um bolo maior ou vários pequenos.
Deixe os 2 lados ganhar uma crosta, acrescente azeite se necessário.

* PARA VARIAÇÕES: introduza o ingrediente de escolha e frite durante ± 3 minutos antes de juntar o pão.

MIGAS COM BACALHAU E ALHO FRANCÊS

pão cortado em fatias muito finas
(± 60g por pessoa)
50g de bacalhau e umas rodelas de alho
francês por cada 60g de pão
caldo já aquecido (ver Capítulo "Sopas")
ou água
alho, cebolas a gosto

Salpique com água o pão cortado em fatias fininhas.
Aqueça o azeite numa grande frigideira anti-aderente.
Aloure em lume médio o alho picadinho e o alho francês.
Junte e passe no azeite o bacalhau demolhado e desfiado.
Junte o pão.
Acrescente, pouco a pouco, caldo (ou água) JÁ AQUECIDO.
Tape um pouco para amolecer o pão e cozer o bacalhau.
Misture os ingredientes.
Tempere com sal e pimenta a gosto.
Com 2 espátulas de madeira, pressione a pasta para formar um
bolo, ou vários pequenos.
Deixe os 2 lados ganhar uma crosta, acrescente azeite se necessário.

MIGAS COM CAMARÕES E CARIL

pão cortado em fatias muito finas
(± 60g por pessoa)
50g de miolo de camarão/cada 60g de
pão
caldo já aquecido (ver Capítulo "Sopas")
ou água
alho, cebolas e coentros, a gosto

Salpique com água o pão cortado em fatias fininhas.

Aqueça o azeite numa grande frigideira anti-aderente.

Aloure em lume médio um pouco de alho picadinho e cebolas cortadinhas.

Junte o pão cortado.

Acrescente, pouco a pouco, caldo (ou água) JÁ AQUECIDO.

Tape um pouco para amolecer o pão.

Saltear à parte o miolo de camarão num pouco de azeite, é quase instantâneo.

Junte o camarão e o pó de caril ao pão e misture bem.

Tempere com sal e pimenta a gosto, coentros opcionais.

Com 2 espátulas de madeira, pressione a pasta para formar um bolo, ou vários pequenos.

Deixe os 2 lados ganhar uma crosta, acrescente azeite se necessário.

MIGAS COM AZEITONAS E TOMATES SECOS

pão cortado em fatias muito finas
(± 60g por pessoa)
caldo já aquecido (ver Capítulo "Sopas")
ou água
alho, cebolas a gosto

POR CADA 60G DE PÃO

1 csopa de azeite
30g de azeitonas para fazer pasta
(para fazer a pasta, ver receita "Peixe
assado com cobertura de azeitonas")
2 pedaços de tomate seco cortados muito
fininhos
coentros e orégão, opcionais.

Salpique com água o pão cortado em fatias fininhas.

Aqueça o azeite numa grande frigideira anti-aderente.

Aloure em lume médio o alho picadinho.

Junte o pão.

Acrescente, pouco a pouco, caldo (ou água) JÁ AQUECIDO.

Tape um pouco para amolecer o pão mais rapidamente.

Junte a pasta de azeitonas, os tomates secos, os coentros (ou orégão) e misture com o pão.

Tempere com sal e pimenta a gosto.

Com 2 espátulas de madeira, pressione a pasta para formar um bolo, ou vários pequenos.

Deixe os 2 lados ganhar uma crosta, acrescente azeite se necessário.

BULGUR COM PASSAS E PINHÕES

PARA 4 A 5 PESSOAS

2 cháv de bulgur

mesma quantidade de água

1½ csopa de azeite

1 cebola pequena cortadinha

½ cháv de passas

½ cháv de pinhões torrados de fresco

CALORIAS

2 cháv de bulgur cru	558 cal
½ cháv de passas	250 cal
½ cháv de pinhões	408 cal
1½ csopa de azeite	180 cal
Por pessoa (5)	279 cal

Frite a cebola no azeite em lume médio até ficar transparente.

Junte o bulgur e deixe fritar por ± 3 minutos.

Junte a água já aquecida.

Acrescente as passas e ½ colher de chá de sal.

Quando levantar fervura, baixe o lume ao mínimo.

Coza durante 15 minutos TAPADO e deixe descansar mais 5 minutos.

Acrescente os pinhões quando servir.

COMENTÁRIO: o bulgur é uma forma de preparar trigo usada no Médio Oriente há milhares de anos. Pode ser usado em saladas, como no *Tabbouleh*, um prato típico libanês, no qual o bulgur já cozido e frio, é misturado com tomate, muita salsa, hortelã, azeite e limão. Experimente, que é delicioso!

CUSCUZ SIMPLES

PARA 4 PESSOAS

2 cháv de cuscuz (melhor integral)
fio de azeite
pitada de sal
água a ferver

CALORIAS

1 cháv de cuscuz cru ···················· 346 cal

Coloque o cuscuz num *Pyrex* com o fio de azeite e pitada de sal.
Cubra o cuscuz com água a ferver e mexa com um garfo.
Deixe repousar, tapado, cerca de 5 minutos.
Também se pode cozer 1 minuto no microondas, TAPADO.
Se achar pouco cozido, junte um pouco mais de água e repita a operação.
Se o cuscuz for integral, é preciso mais água e tempo.

*Acompanha bem grão guisado com abóbora (ver Capítulo "Leguminosas"), ou estufado de legumes.

COMENTÁRIO: o cuscuz é um óptimo acompanhamento para vegetais ou carnes, em sopas, ou até mesmo em saladas.

QUINOA A quinoa é nativa da América do Sul, onde já é cultivada há mais de 5.000 anos. A quinoa desapareceu, depois do seu cultivo ter sido proibido pelos conquistadores espanhóis. Em 1982, os Americanos começaram a cultivar quinoa no Colorado. É de grande valor nutritivo e, apesar de ser considerado um cereal, a quinoa é, na realidade, um fruto duma planta da mesma categoria da beterraba, a acelga e o espinafre.

QUINOA COM CENOURA

PARA 4 A 5 PESSOAS

½ cháv de quinoa

1½ cháv de água

1 cebola média picada

1 cenoura às tiras no ralador

1 csopa de azeite

1 dente de alho esmagado

sal a gosto

CALORIAS

½ cháv de quinoa crua	318 cal
1 cebola	60 cal
1 cenoura	40 cal
1 csopa de azeite	120 cal
Por pessoa (4)	134 cal

Lave a quinoa e escorra.

Aloure o alho e a cebola no azeite sem queimar.

Junte a cenoura ralada e mexa durante 1 minuto.

Junte a quinoa escorrida e frite 1 a 2 minutos.

Junte a água e o sal.

Quando levantar fervura, baixe o lume ao mínimo.

Coza durante 20 minutos tapado.

Destape – se tiver excesso de água, deixe evaporar.

Coloque em tigelas para enformar, ou sirva assim.

* Para cozer a quinoa simples, use o mesmo volume de água e sal a gosto. Também fica bem com abóbora, ervilhas, tomate, ervas frescas, caril, etc. Para uma refeição leve, acompanhe, por exemplo, com salada de tomate e agrião salteado. Salpique com sementes variadas.

COMENTÁRIO: em relação a outros cereais, a quinoa tem maior conteúdo de proteínas e de melhor qualidade nutritiva. Contém os aminoácidos essenciais lisina, metionina e cisteina. Complementa as leguminosas, oleaginosas e outros cereais. Para além disso é rica em magnésio, ferro e potássio. Também é uma fonte boa de cobre, zinco, fósforo, riboflavina, tiamina e niacina.

CEREAIS E OUTROS · 69

MILHO O milho era muito usado na cozinha tradicional portuguesa. Todos conhecemos o prazer de uma maçaroca tenrinha, da broa (pão de milho), ou das deliciosas papas de milho (doces ou salgadas). Hoje em dia é menos frequente encontrar pratos de milho. Para quem é guloso, o milho é mais um ingrediente com doçura natural que nos ajuda, de uma maneira mais saudável que o açúcar, a satisfazer o gosto por coisas doces.

RECEITA BÁSICA DE PAPAS DE MILHO

1 cháv de farelo de milho
4 a 6 cháv de líquido conforme a espessura de que gostar (água, caldos, leite de soja)

CALORIAS
1 cháv de farelo de milho ·········· 416 cal

VARIAÇÕES:
PAPAS DE MILHO FEITAS COM LEITE DE SOJA
(ou água), com cobertura de amêndoas às lascas e xarope de açúcar amarelo

PAPAS DE MILHO COM CALDO DE LEGUMES
e azeite de alho

FATIAS DE PUDIM DE MILHO FRITAS
em fio de azeite com alho (gengibre e piripiri opcionais) e cebolinho

FATIAS DE PUDIM DE MILHO COM GRÃOS DE MILHO DOCE e coentros, fritas em fio de azeite com alho (gengibre opcional)

Junte o farelo com o líquido numa panela.

Levante fervura e coza em lume baixo mexendo sempre durante 20 a 30 minutos.

Ajuste a quantidade de líquido conforme a espessura que quiser obter.

Sirva logo como papas quentes, adocicadas ou salgadas com azeite.

Também se pode colocar num *Pyrex* para obter um pudim enformado, doce ou salgado.

O pudim frio pode ser cortado às fatias – ficam deliciosas se fritar com um pouco de azeite e ervas frescas.

* As papas de milho podem comer-se sozinhas ou com vegetais salteados, tomatada, ovo ou com peixe ou carne em pequenas quantidades. São um acepipe doce delicioso. Sente-se a ler uma revista enquanto estiver a mexer as papas! Meia hora de descanso e leitura com promessa de papas de milho doce no fim...

COMENTÁRIO: o milho é um cereal que se completa nutritivamente com as leguminosas e com muitos dos legumes verdes. No passado, as pessoas cujas dietas eram baseadas em milho tinham deficiências de vitamina B3 e proteínas com resultados potencialmente graves mas, com a variedade de comidas a que hoje temos acesso, isso deixou de ser um problema.

CEREAIS E OUTROS · 73

LEGUMINOSAS São uma parte importante da dieta humana desde os tempos mais remotos. Descobertas arqueológicas encontraram restos de feijão e outras leguminosas datados de há 11.000 anos atrás, sugerindo que as primeiras leguminosas vêm do Sudoeste Asiático.

As leguminosas podem ser comidas cozidas, guisadas, em sopa, em sobremesa ou em puré. Podem fazer-se com elas *patés* deliciosos ou comer os seus rebentos, que são especialmente nutritivos. Também existem farinhas de leguminosas, das quais se pode fazer pão, crepes, bolos, etc. Estas farinhas são muito úteis para quem for alérgico ao trigo.

As leguminosas são ricas em amido e proteína e são mais facilmente digeridas se usar algas (1 cm de *kombu*) durante a cozedura, se estiverem muito cozinhadas e se não se comer em excesso (½ a 1 chávena por dia). Combinam bem com legumes verdes e saladas, salpicadas de sementes ou oleaginosas. São especialmente boas quando muito tenras. Para isso, deixar cozinhar até que comecem a abrir rachas na casca. Mesmo bem cozidas ainda podem ser guisadas.

1 chávena cozida tem cerca de 269 calorias e 15g de proteína.
(Informação nutritiva ver Glossário)

COZER LEGUMINOSAS – RECEITA BÁSICA

Os tempos de cozedura da panela de pressão são mais ajustados ao tempo das nossas vidas!

TEMPO DE COZEDURA

Em panela de pressão:

grão de bico (demolhado): 40 a 50 min

lentilha verde (demolhada): 30 a 40 min

feijão (demolhado): 30 a 40 min

lentilha vermelha: 15 a 20 min

Dê-se à paciência de abrir a panela de pressão, ver se está no ponto que gosta. Caso ainda precisem de mais tempo, volte a fechar a panela.

Em panela normal:

cerca do dobro do tempo da panela de pressão, vá provando.

INGREDIENTES

leguminosas demolhadas (excepto a lentilha vermelha)

ramo de ervas frescas (coentros, salsa, tomilho, salva, rosmaninho)

dente de alho

cebola

gengibre (opcional)

Regra geral as leguminosas secas triplicam de volume depois de estarem de molho. As leguminosas mais pequenas, tais como as lentilhas verdes ou o feijão manteiga, aumentam menos de volume.

Lave bem.

Deixe de molho em bastante água durante a noite ou o dia, não deite fora a água.

Coza na água em que estiveram de molho.

Junte à água um ramo de ervas frescas, o alho e a cebola para dar gosto durante a cozedura.

Cubra as leguminosas com 1 mão travessa de água ou mais, pode usar o líquido da cozedura como base para sopas ou guardar em cubos como caldo).

Se não está a usar a panela de pressão, deite fora a espuma que se forma até levantar fervura, e junte o sal a meio da cozedura. Com panela de pressão junte um pingo de azeite para a espuma não entupir a válvula.

* O tempo de cozedura varia conforme a frescura e o tamanho. Experimente uns 30 minutos. Se quiser leguminosas mais desfeitas (bom para guisados e sopas) coza tapadas. Para conseguir leguminosas mais inteiras (bom para saladas) coza destapadas. Pode fazer puré ou guisar de seguida.

Se quiser guardar as leguminosas, deixe-as num pouco de água de cozer até arrefecerem.

O feijão cozido aguenta bem até 3 dias no frigorífico

CALDO DE LEGUMINOSAS COZIDAS – RECEITA BÁSICA

POR PESSOA

1 a 2 csopa de leguminosas cozidas
1 ccafé de azeite simples ou de cheiro
(ervas frescas, alho, limão)
150ml de líquido da cozedura ou outro
caldo
ervas frescas picadas (coentros, salsa)
sal, pimenta fresca ralada ou piripiri
vinagre ou sumo de limão a gosto

CALORIAS

1 cháv de leguminosas ·············· 269 cal
1 cchá de azeite ·························· 40 cal

Junte num tacho em lume brando o azeite (simples ou com cheiro) e o líquido de cozedura ou caldo.

Depois de levantar fervura, junte as leguminosas (1 a 2 colheres de sopa por pessoa).

Deixe apenas aquecer durante cerca de 2 minutos (as leguminosas absorvem o líquido e ficam cheias de sabor).

Sirva em tigela de sopa – deite primeiro as leguminosas no fundo e encha até cima com o caldo.

Tempere a gosto – fica muito bom com vinagre ou limão.

Junte as ervas frescas quando servir.

Aproveite para fazer esta receita quando cozer leguminosas para outros fins. No fim da cozedura, basta servir o caldo com poucas leguminosas e temperar com azeite, limão ou vinagre e ervas frescas.

Pode fazer variedades de canja de leguminosas com tempero de escolha.

CALDO DE FEIJÃO COZIDO COM TOMILHO

PARA COZER O FEIJÃO

VER RECEITA BÁSICA

(panela de pressão: 30 a 40 min,

panela normal 1h 30m a 2h)

1 cháv de feijão seco demolhado (pode

usar feijão de diferentes qualidades)

1 cebola pequena

1 dente de alho

1 piripiri, se gostar

3 a 4 espigas de tomilho

1 folha de louro

sal grosso a gosto

PARA SERVIR O CALDO

azeite simples ou com cheiro (em média,

½ a 1 cchá por pessoa)

hortelã picada (quantidade a gosto)

vinagre

sal, pimenta ou piripiri

Quando o feijão estiver cozido tire e deite fora a cebola, alho, tomilho, folha de louro e piripiri.

Use o líquido de cozer como caldo.

VER RECEITA BÁSICA (CALDO).

Pode engrossar o líquido de base batendo o caldo com alguns dos feijões num copo misturador.

Pode usar o caldo como base para guisar feijões.

Fica bom com feijão de qualquer qualidade.

COMENTÁRIO: apesar das variações, os feijões são um excelente alimento. São pobres em gordura, não têm colesterol, são ricos em proteína, hidratos de carbono complexos e fibra (muitos são especialmente ricos em fibra solúvel). O feijão de lata parece ter as mesmas qualidades nutritivas do feijão seco, excepto um teor mais elevado de sal.

CALDO DE LENTILHAS COM AZEITE DE SALVA

PARA FAZER O AZEITE

(ver Capítulo "Azeites de Cheiro")
½ cháv de azeite
2 dentes de alho
¼ de cháv de folhas de salva
pitada de sal

PARA COZER AS LENTILHAS

VER RECEITA BÁSICA
(Panela de pressão: 30 a 40 min,
panela normal: 45min a 1h)
1 cháv de lentilhas verdes demolhadas
1 dente de alho
1 cebola
1 raminho de cheiros (salsa, coentros,
tomilho, louro)
piripiri a gosto
vinagre ou limão

PARA SERVIR O CALDO

½ a 1 cchá de azeite de salva por tigela
de sopa
limão ou vinagre e ervas frescas

Prove as lentilhas ao fim de 30 minutos.

Deixe cozer mais, se necessário, até ficarem bem macias.

VER RECEITA BÁSICA (CALDO).

Quando as lentilhas estiverem bem cozidas, deite fora o alho, a cebola e o raminho de cheiros.

Use o líquido de cozedura como caldo.

Pode engrossar o líquido de base batendo o caldo com algumas das lentilhas num copo misturador.

COMENTÁRIO: pouco utilizadas na nossa alimentação moderna, as lentilhas são uma fonte excelente de proteína, fibra, ferro, ácido fólico e vitaminas do grupo B. Depois de cozidas podem ser usadas para saladas ou fazer puré.

CALDO DE GRÃO DE BICO COM HORTELÃ

PARA COZER O GRÃO

VER RECEITA BÁSICA

(Panela de pressão: 40 a 50 min,

panela normal: 1h 30 min a 2h)

1 cháv de grão de bico demolhado

água de molho

1 cebola

1 dente de alho

gengibre (opcional)

sal

PARA SERVIR O CALDO

azeite simples ou de cheiro (½ a 1 cchá

por pessoa)

folhas de hortelã

vinagre ou limão a gosto

Quando o grão estiver cozido, deite fora o alho e a cebola.
Use o líquido de cozedura como caldo.
VER RECEITA BÁSICA (CALDO).
Pode engrossar o líquido de base batendo o caldo com algum grão num copo misturador.

COMENTÁRIO: pode juntar o grão cozido a outras sopas, fazer puré ou uma pasta para espalhar no pão, temperado com azeite, ervas frescas, paprika, etc.. Também fica delicioso em saladas e com massas.

LEGUMINOSAS GUISADAS – RECEITA BÁSICA

leguminosa já cozida

água de cozer a leguminosa

2 cebolas médias cortadas aos pedaços
(por cháv de leguminosa seca)

1 dente de alho cortado ao meio ou
picado se preferir

1 ramo de cheiros (variável)

2 a 3 csopa de azeite

opcional: tomate, gengibre, piripiri ou
outros temperos como caril, cominhos,
curcuma, 1 rodela de chouriço, etc.

Aqueça a panela em lume brando e junte o azeite.

Junte o alho e a cebola, alourando devagar (gengibre picado e outras especiarias, opcional).

Se usar tomate (pode ser de lata), junte agora e deixe cozinhar uns 3 minutos.

Junte a leguminosa já cozida e escorrida e mexa, misturando com a cebola 1 a 2 minutos.

Junte a água de cozer a leguminosa até cobrir com 2 a 3 dedos.

Guarde à parte 1/3 do ramo de cheiros, junte o resto à leguminosa. Levante fervura em lume brando.

Quando estiver a ferver, baixe o lume, cubra e deixe cozinhar em lume muito brando.

Não deixe colar ao fundo, pode usar placa difusora de calor.

Para ficar cremoso, pode demorar cerca de 1h 30m.

Pode juntar cenoura, abóbora, nabo, couves, etc..

FEIJÃO GUISADO COM COENTROS E COMINHOS

PARA 4 A 6 PESSOAS

2 cháv de feijão seco demolhado durante a noite

PARA COZER O FEIJÃO

VER RECEITA BÁSICA

1 cebola pequena

1 dente de alho

1 folha de louro

piripiri a gosto

PARA GUISAR O FEIJÃO

VER RECEITA BÁSICA

2 cebolas grandes cortadas aos pedaços

1 dente de alho picado

½ lata (de 240g) de tomate pelado ou 2 frescos sem pele

1 cchá de cominhos

1 ramo de coentros lavados

3 csopa de azeite

1 cchá de gengibre picado (opcional)

água de cozer o feijão

CALORIAS

2 cháv de feijão seco	1040 cal
2 cebolas	120 cal
3 csopa de azeite	360 cal
2 tomates	60 cal
Por pessoa (6)	263 cal

Coza primeiro o feijão, no mesmo dia ou com antecedência.

Aqueça o azeite em lume brando.

Aloure lentamente o alho e a cebola.

Junte os cominhos e frite 1 minuto.

Junte o tomate e cozinhe uns 2 a 3 minutos.

Junte o feijão escorrido e misture bem com a cebola.

Cubra com a água de cozer o feijão e junte os coentros.

Quando levantar fervura baixe o lume.

Deixe fervilhar, tapado, até ficar cremoso.

Ajuste o sal.

No fim, pode destapar para evaporar um pouco.

Sirva enfeitado com coentros.

COMENTÁRIO: a culinária portuguesa é especialmente rica em receitas de feijão com carnes e enchidos. Nas quantidades actuais, estes pratos são geralmente demasiado ricos em gordura e hipercalóricos. Diminua significativamente a quantidade da carne e enchidos e use-os apenas para dar sabor. Guarde para as festas as suas receitas mais calóricas.

GRÃO GUISADO COM ABÓBORA E HORTELÃ

PARA 4 A 6 PESSOAS

2 cháv de grão seco demolhado
(ou 4 de grão cozido)
500g de abóbora aos cubos
2 cebolas grandes em rodelas finas
1 dente de alho esmagado
1 ramo de hortelã
4 csopa de azeite
½ lata (de 240g) de tomate pelado
1 ccafé de curcuma ou de açafrão
demolhado em água a ferver
(opcional, para dar cor)

PARA COZER O GRÃO

VER RECEITA BÁSICA
(Panela de pressão: 30 a 40 min,
panela normal: 1h 30 min a 2h)
1 cebola pequena
1 alho
1 folha de louro

CALORIAS

2 cháv de grão seco ·················· 520 cal
500g de abóbora ···················· 70 cal
2 cebolas ·························· 120 cal
4 csopa de azeite ··················· 480 cal
Por pessoa (4) ····················· 297 cal

Coza primeiro o grão, no mesmo dia ou com antecedência.

Aqueça o azeite em lume brando.
Aloure lentamente o alho e a cebola.
Junte o tomate e cozinhe uns 2 a 3 minutos.
Junte o grão escorrido e misture bem com a cebola.
Junte a abóbora agora ou mais tarde, se gostar dela mais inteira.
(Se quiser dar um pouco de cor, pode juntar uma colher de café de curcuma ou de açafrão)
Cubra com a água de cozer o grão e junte o ramo de hortelã.
Quando levantar fervura baixe o lume.
Deixe fervilhar, tapado, até o líquido estar bem grosso.
Ajuste o sal.
No fim, pode destapar para evaporar um pouco.
Sirva enfeitado com folhinhas de hortelã.

Sugestões para acompanhamento: nabiças de nabo salteadas em azeite e alho, cuscuz ou 2 fatias de pão saloio torrado e salada de tomate com orégão, pimentos grelhados.

COMENTÁRIO: quanto mais pequeno for o grão de bico mais fácil é de digerir. Mais uma vez, a regra é evitar misturar um excesso de gorduras com as leguminosas. No dia a dia, coma o grão apenas com um cereal, legumes e saladas. Experimente com cuscuz, fica delicioso. O grão é uma excelente fonte de ácido fólico e potássio e é rico em fibra, tiamina, niacina, vitamina B6 e cálcio.

LENTILHAS GUISADAS COM TAMARINDO

As lentilhas não precisam de ser previamente cozidas para serem guisadas, mas devem ficar de molho pelo menos 4h

PARA 3 PESSOAS

1 cháv de lentilhas verdes demolhadas
3 cebolas médias às rodelas ou picadas
1 dente de alho cortado ao meio
1 noz de gengibre picada
2 csopa de pasta de tamarindo (ver Glossário)
½ cchá de cominhos
3 csopa de azeite
sal e piripiri a gosto
ramo de coentros picados (aproveite os talos)

CALORIAS

1 cháv de lentilhas secas	596 cal
3 cebolas	180 cal
3 csopa de azeite	360 cal
2 csopa de tamarindo	20 cal
Por pessoa (3)	385 cal

Junte 1 chávena de água a ferver à pasta de tamarindo, deixe amolecer e esmague bem com uma colher até se dissolver.
Passe por um passador antes de usar e esprema bem para aproveitar a polpa.
Aqueça a panela em lume brando e junte o azeite.
Aloure o alho, gengibre e cebola sem queimar.
Junte os cominhos e frite durante 1 minutos (pode pôr piripiri).
Escorra as lentilhas, mas guarde a água em que estiveram de molho.
Junte as lentilhas à panela, mexendo bem.
Junte o sumo de tamarindo e a água de molho ou caldo, até cobrir as lentilhas por cerca de 2 dedos.
Quando levantar fervura, baixe o lume e cozinhe, tapado, em lume brando.
Remexa a panela de vez em quando.
Se faltar líquido durante a cozedura, pode juntar mais água quente.
Junte o sal a meio.
Prove ao fim de 40 minutos.
Quando estiverem bem macias, pode destapar e deixar evaporar o excesso de líquido.
No fim, salpique com os coentros frescos.

* Sirva com salada de pepino, salada de tomate, brócolos ou espinafres salteados, arroz, cuscuz ou mesmo só com uma fatia de pão e um fio de azeite.

COMENTÁRIO: as lentilhas são uma fonte excelente de ácido fólico, potássio, ferro e fósforo. Também são ricas em outros minerais e vitaminas. Por cada 100g contêm em geral 9g de proteína.

PURÉ OU PATÉ DE LEGUMINOSAS – RECEITA BÁSICA

CALORIAS

1 cháv de leguminosas cozidas ··· 269 cal

1 csopa de azeite ························ 120 cal

Depois das leguminosas cozidas, escorra o líquido e guarde para uma sopa.

Ponha as leguminosas num copo misturador, junte um pouco do líquido e bata até fazer puré.

Tempere a gosto com azeite, sal, pimenta ou piripiri, coentros, hortelã, etc..

A quantidade de puré depende, se é para servir, de acompanhamento ou de ingrediente principal.

* Estes purés são deliciosos para barrar o pão. As leguminosas devem ser comidas sempre com moderação, para não sobrecarregar o intestino com gases.

PURÉ DE GRÃO

2 cháv de grão já cozido
¼ de cháv de líquido de cozer o grão
2 csopa de azeite
sal e pimenta ou piripiri a gosto
paprika a gosto
salsa picada

Num copo misturador, bata o grão com o líquido (pode ajustar a quantidade de líquido, conforme gostar, mais ou menos espesso).
Tire do copo e tempere com o azeite e restantes condimentos.
Pode juntar outras ervas frescas.
Este puré é delicioso para acompanhar pratos de carne, para variar das batatas.

PURÉ DE FEIJÃO BRANCO

IDEIAS PARA TEMPEROS
pó de caril, hortelã, azeite, vinagre, sal e piripiri a gosto

óleo de sésamo, vinagre de arroz, pimento grelhado às tirinhas, coentros e açafrão.

Coza bem o feijão com a receita base ou use feijão em lata.
Siga a receita básica de puré de leguminosas.

PURÉ DE LENTILHAS E CEBOLA CARAMELIZADA

2 cháv de lentilhas vermelhas bem lavadas (não precisam de estar de molho)

PARA COZER AS LENTILHAS
panela de pressão: 15 a 20 min

½ alho francês às rodelas
2 espigas de hortelã ou outra erva fresca
½ dente de alho
2 csopa de azeite
1 ccafé de sementes de mostarda (opcional)
sal a gosto

PARA FAZER CEBOLA CARAMELIZADA
1 cebola pequena
1 ccafé de sementes de mostarda (opcional)
½ csopa de azeite
½ ccafé de açúcar amarelo

CALORIAS
1 cháv de leguminosas cozidas ⋯ 269 cal
½ alho francês ⋯⋯⋯⋯⋯⋯⋯⋯ 30 cal
2 csopa de azeite ⋯⋯⋯⋯⋯⋯ 179 cal
Total ⋯⋯⋯⋯⋯⋯⋯⋯⋯⋯⋯ 539 cal

Lave bem as lentilhas.
Ponha na panela de pressão e cubra apenas de água.
Junte o alho francês, alho, hortelã e 1 colher de chá de sal.
Coza 15 a 20 minutos.
Quando estiverem cozidas, tempere com o azeite, acerte o sal e pimenta a gosto.
Tire o alho depois de cozer.
Se tiver muito líquido deixe ferver em lume brando para evaporar.
Não é necessário bater no copo misturador, basta misturar bem com uma colher de pau.

Corte a cebola em fatias fininhas.
Aqueça um tacho ou frigideira pequena e junte o azeite.
Passe as sementes de mostarda no azeite em lume baixo cerca de 1 minuto (opcional).
Aloure a cebola em lume brando.
Junte o açúcar no fim e mexa até caramelizar.
Sirva o puré com as cebolas por cima.

COMENTÁRIO: também pode fazer um estufado destas lentilhas. Não precisam de muita água e servem-se em forma de puré, é o chamado *daal* tão popular na Índia.

FAVAS COM CARIL E TOMATE NO FORNO

Quando fizer esta receita de favas para rechear tomate no forno, vale a pena dar-se ao trabalho de tirar a pele às favas. Em maior quantidade, tirar a pele às favas exige muito tempo! O resultado não é tão delicado mas, paciência, já todos contamos que a pele das favas nem sempre é igualmente tenra.

PARA 4 PESSOAS

400g de favas frescas ou congeladas
200g de cebola picadas (1 grande ou 2 médias)
1 alho esmagado
2 csopa de azeite
1 csopa de caril
½ cchá de cominhos
½ cchá de sementes de mostarda
coentros picadinhos
sal e piripiri a gosto

CALORIAS

400g de favas	343 cal
2 cebolas	120 cal
2 csopa de azeite	240 cal
Por pessoa (4)	174 cal

Aqueça o azeite numa panela de fundo grosso.
Aloure a cebola.
Junte os cominhos e as sementes de mostarda, deixe borbulhar 1 minuto.
Junte as favas e o caril.
Mexa e cubra de água ou caldo.
Quando levantar fervura baixe o lume, tape e deixe fervilhar durante 1hora.
Se necessário, pode juntar mais água (ou caldo) QUENTE.
Junte os coentros só no fim.

* Pode fazer puré no copo misturador ou esmagar apenas com colher de pau, para servir com a receita de tomate no forno (ver LEGUMES).

Fica bem com fatia de pão escuro, tomate no forno e salada verde salpicada de nozes.

COMENTÁRIO: tradicionalmente comemos as favas guisadas com chouriço. Pode fazer o mesmo guisado com espargos ou cogumelos e usar apenas uma rodela de chouriço para dar sabor. O puré é delicioso e pode usar para barrar pão. Pode fazer outros temperos ao seu gosto. Os alimentos que fazem gases devem ser comidos em doses moderadas. Os gases podem piorar problemas de coluna, bexiga ou útero… para além dos problemas de respiração!

CARNES Os seres humanos sempre consumiram carne. Este alimento, assim como o peixe e os ovos, são fontes de proteína de alta qualidade nutritiva. No entanto, esta proteína de origem animal vem associada a gorduras com alto teor de colesterol e ácido araquidónico – um substrato para químicos inflamatórios. Esta combinação de proteína e gordura, torna estes alimentos altamente energéticos e adequados aos seres humanos activos, musculados e cujo peso seja equilibrado. Durante a maior parte da história da humanidade, a nossa dieta era constituída essencialmente por vegetais. Os seres humanos comiam carne só esporadicamente, dependendo da estação do ano e do sucesso das caçadas. Só recentemente, com a industrialização, é que a carne está à disposição de todos. Nos países industrializados, chega-se a comer carne três vezes por dia: pequeno almoço, almoço e jantar. Este excesso, combinado com vidas cada vez mais sedentárias, tem levado a um desequilíbrio na quantidade de gorduras saturadas na nossa dieta, a excesso de peso e a um enorme leque de doenças associadas a estes factores. Não é obrigatório deixar de comer carne para ser saudável, mas é do interesse de cada um de nós ajustar a quantidade de carne na nossa dieta ao nosso biótipo e estilo de vida.

Acompanhe a carne com muitos vegetais e saladas, não abuse dos hidratos de carbono.
Se tem excesso de peso, coma a carne só com legumes e saladas.
Informação nutritiva e como comprar (ver Glossário)

CARNE DE VACA Na pirâmide tradicional mediterrânica, a carne era comida mensalmente, se tanto! Agora, a carne está à nossa disposição, bem embaladinha, em bifes prontos e bonitos. Passou a ser um dos alimentos de consumo mais rápido; o seu consumo passou de mensal a diário e, frequentemente, acompanhamo-la com batatas fritas, na verdade deliciosas, mas também muito maléficas, por serem tão ricas em gordura. Tudo pode ter lugar na nossa alimentação se formos saudáveis, activos e se comermos carne na quantidade e na frequência que mais se ajustam ao nosso tipo de vida. Coma carne de qualidade, tenra e pouco gorda. Biológica, se possível, a carne da vaca alimentada no pasto é muito mais saborosa do que a que come rações... e mais saudável.

BIFE À CAFÉ POLITICAMENTE CORRECTO

PARA 2 PESSOAS

200 a 300g de bife de vaca, inteiro ou
aos cubos de ± 2cm³
1 csopa de azeite
1 dente de alho
2 csopa de café bem forte
natas de soja para fazer molho, ±120 ml
sal e pimenta a gosto

CALORIAS

200g de carne de vaca ·············· 550 cal
1 csopa de azeite ····················· 120 cal
120ml de natas de soja ············· 208 cal
Por pessoa (2) ························· 439 cal

Aqueça a frigideira em lume brando.

Junte azeite e deixe aquecer sem queimar.

Junte o alho e aloure-o.

Tire quando estiver louro para não queimar.

Junte o café forte aos poucos e mexa continuamente (salpica muito!).

Deixe o café evaporar completamente.

A água do café evapora e o café fica incorporado no azeite.

Junte o bife e toste ligeiramente os 2 lados.

(Para quem gosta de carne bem passada, deixe mais tempo).

Tire da frigideira e ponha na travessa de servir.

Junte as natas de soja, aos poucos, mexendo sempre.

Tempere com sal e pimenta, deite por cima dos bifes.

COMENTÁRIO: é claro que o molho fica irresistível! Para não carregar nas calorias, acompanhe com muitos vegetais e uma boa salada verde. Uns espargos também são um acompanhamento delicioso para aproveitar o molho. Em vez da batata frita pode acompanhar com uma fatia de pão escuro, pouca batata cozida ou assada, ou um pouco de arroz, mas o melhor mesmo, é com saladas e vegetais. Também fica delicioso com uma fatia de pudim de milho frito (ver receita no Capítulo CEREAIS).

CARNE DE VACA SALTEADA COM ALHO FRANCÊS

PARA 4 PESSOAS

600g de carne de vaca (lombo ou bife de qualidade)
1 talo de alho francês
3 csopa de azeite
1 csopa de pimenta fresca moída
gengibre (picado) e piripiri opcionais
sal a gosto

CALORIAS

600g de carne de vaca ·············· 1650 cal
3 csopa de azeite ······················· 360 cal
1 alho francês ···························· 60 cal
Por pessoa (4) ·························· 517 cal

Corte a carne às lâminas ou aos cubos de ± 2cm.

Aaqueça o *wok* e junte uma colher de azeite sem o queimar.

Aloure o alho francês (e o gengibre), remexendo depressa.

Junte a carne.

Salteie em lume vivo durante ± 3 min.

A meio, junte a pimenta.

Deite o sal só no fim.

Serve-se imediatamente.

* A carne de vaca deve ficar mal passada.

Esta receita fica muito bem com frango ou carne de porco (se usar porco deve aumentar o tempo de cozedura por mais 2 minutos).

COMENTÁRIO: pode usar menos quantidade de carne e aumentar a quantidade de vegetais da refeição. Assim, diminui a quantidade de colesterol, calorias totais e diminui a densidade energética da sua refeição, uma medida importante para manter o seu peso estável, ou para tentar perder peso.

BIFES COM TOMILHO

PARA 2 PESSOAS

200g de bife de vaca

1 csopa de azeite

tomilho seco

alho a gosto

sal e pimenta

gengibre e piripiri (opcional)

CALORIAS

200g de carne de vaca	550 cal
1 csopa de azeite	120 cal
Por pessoa (2)	335 cal

Coloque os bifes numa tigela, inteiros ou em cubos de ± 2cm. Deite um fio de azeite e misture.

Cubra os bifes com o tomilho seco.

Se usar gengibre ou piripiri, esmigalhe estes com o tomilho num almofariz e envolva os bifes com esta mistura.

Aqueça o azeite sem deixar queimar, aloure o alho e junte os bifes. Frite rapidamente ambos os lados – para uma carne mal passada, 2 minutos devem bastar.

Tempere com sal e pimenta.

* Pode usar os restos desta carne já fria para juntar a uma salada de alface com raspas de queijo *Parmigiano*, sal, azeite e vinagre.

COMENTÁRIO: a carne de vaca tem a gordura distribuída entre as suas fibras musculares. Não ultrapasse a sua dose, assim poderá comer carne sem que lhe faça mal. Também pode temperar uma peça de rosbife e usar o mesmo tempero. Fica delicioso como rosbife frio.

Depois da peça temperada, frite-a em pouco azeite dentro duma panela.

CARNE DE PORCO A carne de porco faz parte da dieta humana desde tempos imemoriais. Nos nossos campos, a matança do porco era causa para celebração. Há quem pense que as restrições religiosas do consumo de carne de porco estivessem ligadas à tentativa de evitar a difusão de certas doenças. Muitos historiadores duvidam dessa tese. Na verdade, porém, nessas épocas distantes, não se sabia que a causa das doenças não era o porco, mas sim a presença na sua carne de um parasita (*Trichinella spiralis*) que, não sendo visível a olho nu, é destruído quando cozinhamos a carne de porco ou a expomos a irradiação.

LOMBO DE PORCO COM RECHEIO IRANIANO

PARA 8 A 10 PESSOAS

1 kg de lombo de porco
2 copos de vinho branco
2 fatias grandes de gengibre aos palitos
(opcional)
pau de canela

RECHEIO (se sobrar congele)

1 csopa de azeite
1 cebola pequena, picadinha
1 dente de alho
¼ cháv de ameixas pretas secas sem
caroço
¼ de cháv de alperces secos picados
½ maçã aos pedacinhos (esfregue com
limão para não escurecer depois de cortar)
1 csopa de passas
½ ccafé de pimenta preta fresca moída
½ ccafé de canela
½ ccafé de açafrão
1 ccafé de sal
1 ccafé de açúcar

CALORIAS

1kg de carne de porco ············· 2020 cal
recheio total ································ 360 cal
Por pessoa (8) ····························· 297 cal

Lave a carne de porco.
Marine 24 horas com vinho branco, gengibre e canela.

PARA FAZER O RECHEIO:

Aqueça o azeite numa panela pequena, aloure o alho e a cebola.
Junte as ameixas, alperces, maçã, passas, sal, pimenta, açafrão e açúcar.
Misture bem durante cerca de 1 a 2 minutos.

Tire a carne da marinada, escorra ou use folha de papel para secar.
Enfie um cilindro de metal ou o cabo duma colher de pau na carne, no sentido longitudinal, para abrir um ou dois "túneis" de cerca de um ou dois dedos de largura SEM FURAR NO ENTANTO O LADO OPOSTO (para impedir que o recheio saia quando estiver a encher).
Empurre o recheio para dentro da carne.
Coloque a carne num *Pyrex*.
Aqueça o forno a 250º C e deixe assar durante 15 minutos.
Baixe o forno para 175º C, vire a carne e asse mais 20 minutos.
Salpique com sal.
Volte a virar o lombo e asse mais 20 minutos.
Se necessário junte vinho branco.
No forno, o recheio tem tendência a sair um pouco.
Pincele a carne com este molho.

COMENTÁRIO: obviamente esta é uma receita de festa, na linha da nossa conhecida carne de porco com ameixa, mas com maior variedade de sabores. NÃO COZINHE A CARNE EXCESSIVAMENTE, deixe ficar ligeiramente cor de rosa. Mesmo depois de sair do forno, a carne ainda vai cozinhando. Fica deliciosa no dia seguinte.

CARNES · 105

CARNE DE PORCO SALTEADA COM FUNCHO

PARA 4 A 5 PESSOAS

600g de lombinho de porco
1 cabeça de funcho (alternativos: aipo e ervilhas tortas)
3 csopa de azeite
1 dente de alho, esmagado
gengibre picado (opcional)
sal a gosto

CALORIAS

600g de carne de porco ·········· 1212 cal
3 csopa de azeite ···················· 360 cal
200g de funcho ························· 72 cal
Por pessoa (5) ························· 328 cal

Lave e corte a carne às lâminas.
Corte o funcho em tiras de ½ cm de largura.
Aqueça o *wok* e junte uma colher de azeite SEM O QUEIMAR.
Junte o funcho.
Salteie por ± 3 minutos e retire.
Junte mais 2 colheres de azeite.
Aloure o alho (e o gengibre).
Junte a carne e salteie em lume vivo durante ± 3 minutos.
Volte a juntar o funcho.
Tempere com sal e pimenta.
Misture e sirva imediatamente.

* Se puder marinar com alguma antecedência a carne (p. ex., com um pouco de sal ou molho de soja, pimenta, gengibre picado e uma colher de chá de maizena) ficava mais saborosa, pode ser mesmo da manhã para a noite.
Esta receita fica também muito boa com carne de vaca, ou com frango.

COMENTÁRIO: o funcho tem um sabor subtil e adocicado com uma consistência que contrasta bem com a carne. Por ser um vegetal muito rico em água, diminui a densidade energética da refeição.

CARNES · 107

AVES Existem muitas espécies de aves, mas a mais frequente nas nossas cozinhas é a galinha, que pode ser produzida sem grandes encargos. Recentemente temos sido alertados com frequência para as condições em que as aves são criadas. Vale a pena tentar escolher "aves do campo" para a nossa cozinha. As aves são, em geral, menos gordas do que as outras carnes e a maior parte da gordura está concentrada na pele. Como as aves de produção industrial não têm o mesmo sabor de uma ave que cresce no campo, há quem goste de marinar a carne com antecedência.

PEITOS DE FRANGO SALTEADOS COM TOMILHO E SALSA

PARA 2 A 3 PESSOAS
300g de peitos de frango aos cubinhos de ± 1,5cm.
folhas de alface

PARA SALTEAR
2 cebolas aos quartos
2 csopa de óleo vegetal
1 ramo de salsa
sumo de ½ lima (ou limão)
sal a gosto

PARA MARINAR
piripiri fresco (opcional)
2 cm de casca de lima (ou limão)
½ dente de alho
1 cchá de tomilho
1 csopa de vinho branco

CALORIAS
300g de peito frango ·················· 426 cal
2 cebolas ····································· 120 cal
2 csopa de azeite ························ 240 cal
Por pessoa (2) ···························· 393 cal

Num almofariz, esmague o piripiri, a casca de lima, o alho e a colher de chá de tomilho.

Lave os peitos de frango e seque-os com papel de cozinha.

Corte os peitos aos cubinhos e misture com os condimentos esmagados e o vinho branco.

Pode deixar marinar de manhã para a noite.

Aqueça uma panela fina ou frigideira, ou um *wok*.

Junte o óleo e deixe aquecer até começar a fumegar.

Junte rapidamente a cebola e aloure.

Junte o frango e salteie em lume alto durante 2 minutos.

Adicione o sumo de lima (ou limão) e, por fim, o sal e a salsa.

Desligue e sirva em folhas de alface.

COMENTÁRIO: ao cortar os peitos de frango aos cubos e ao juntar-lhes cebola ou outros vegetais, consegue-se geralmente diminuir a quantidade total de frango que se come. Assim reduz a gordura, calorias e densidade energética. Pode fazer-se esta receita com sumo de laranja e tomilho, fica uma variação deliciosa.

FRANGO GUISADO COM MANTEIGA DE AMENDOIM

PARA 4 PESSOAS

600g de coxa de frango aos pedaços

umas fatias de gengibre

2 dentes de alho

1 cebola cortada às tiras

1 talo de alho francês cortado em rodelas

3 cenouras cortadas em rodelas de ± 2cm

3 csopa de manteiga de amendoim

2 csopa de azeite

sal, pimenta e piripiri a gosto

CALORIAS

600g de coxa frango ················· 1020 cal

1 csopa de azeite ······················ 120 cal

1 cebola ······································ 60 cal

3 cenouras ································· 120 cal

3 csopa de manteiga de amendoim 287 cal

Por pessoa (5) ·························· 320 cal

Fica melhor, se marinar o frango de véspera com 1 copo de vinho branco e umas fatias de gengibre.

Num tacho largo, aqueça o azeite em lume médio.

Aloure a cebola, o gengibre, o alho e o alho francês.

Junte o frango sem o líquido de marinar e frite por ± 10 minutos.

Junte ¼ litro de água (ou caldo), a manteiga de amendoim e um pouco de sal.

Quando a manteiga estiver dissolvida, junte as cenouras.

Quando levantar fervura diminua o lume ao médio-baixo.

Deixe fervilhar durante ± 30 minutos.

Se necessário, pode juntar mais água (ou caldo).

Ajuste o sal no fim.

* 5 minutos antes do fim da cozedura, pode juntar-se beringela (em ½ rodelas finas) cozida à parte no forno de microondas. Ajuste a espessura do molho com água.

Também é uma óptima receita para legumes.

COMENTÁRIO: a manteiga de amendoim enriquece esta receita, não só com o seu delicioso sabor, mas também com calorias. O amendoim é rico em proteínas, gordura e calorias. A manteiga de amendoim não é uma invenção americana! Já há muitos séculos que, em África, na Índia, na América do Sul e na Indonésia se utilizava pasta de amendoim como um dos ingredientes básicos da culinária.

PEITINHOS DE FRANGO COM VINAGRE BALSÂMICO

PARA 2 A 3 PESSOAS

300g de peito de frango cortado em bifinhos

1 csopa de azeite

1 csopa de vinagre balsâmico

1 dente de alho cortado a meio

50 ml de vinho branco

½ csopa de mostarda *Dijon*

sal a gosto

salsa para enfeitar

CALORIAS

300g de peito de frango ·········· 426 cal

50ml de vinho branco ················ 36 cal

1 cchá de mostarda ····················· 7 cal

1 csopa de azeite ························· 60 cal

1 csopa de vinagre balsâmico ········ 5 cal

Por pessoa (2) ···························· 267 cal

Marine os peitos de frango com o vinho branco e a mostarda por umas horas (pode deixar de manhã para o jantar).

Aloure o alho no azeite.

Junte os peitinhos de frango, SEM LÍQUIDO, e deixe cozinhar em lume brando por 2 a 3 minutos.

No fim, junte o vinagre balsâmico e sal.

Mexa e tire do lume.

Sirva enfeitado com salsa.

* Óptimo com algumas batatinhas assadas no forno com rosmaninho e com uma salada verde generosa.

COMENTÁRIO: as aves são tão frequentes no nosso dia-a-dia que é importante não as tornar monótonas. Varie as receitas. Cortar em bifes fininhos faz render e, sem repararmos, estamos a comer menos quantidade de gordura.

FRANGO SALTEADO À MEDITERRÂNEA

PARA 4 PESSOAS

600g de peito de frango (ou perna desossada)

1 cebola média

3 csopa de azeite

gengibre picado e piripiri, (opcionais)

¼ de cháv de sumo de limão

coentros picadinhos

sal a gosto

CALORIAS

600g de peito de galinha ·········· 852 cal

3 csopa de azeite ······················· 360 cal

1 cebola ····································· 60 cal

Por pessoa (4) ····························· 318 cal

Corte os peitos de frango aos cubos de ± 1,5 cm.

Corte a cebola aos pedacinhos.

Aqueça bem o *wok* e junte uma colher de azeite SEM O QUEIMAR.

Aloure a cebola (e o gengibre).

Junte o frango.

Salteie em lume vivo durante ± 3 minutos.

Tempere com sal e pimenta (ou piripiri).

Desligue e junte os coentros e sumo de limão.

Misture e sirva sem esperas.

COMENTÁRIO: Se puder marinar com alguma antecedência (com um pouco de sal e pimenta, umas gotas de vinho branco e 1 colher de chá de maizena), o frango fica mais saboroso.

Esta receita também fica muito bem com carne de porco ou de vaca.

FRANGO ASSADO – 2 MANEIRAS DE TEMPERAR

1 frango

VERSÃO COM WHISKY

¼ de cháv de sumo de limão

¼ de cháv de whisky

1 cchá de tomilho fresco ou seco

2 cchá de sal

¼ cchá de açúcar

pimenta e piripiri a gosto

gengibre picadinho (opcional)

VERSÃO COM MEL

½ cháv de sumo de limão

1 csopa de mel

1 csopa de mostarda

2 cchá de sal

pimenta e piripiri a gosto

gengibre picadinho (opcional)

CALORIAS

1 frango c/ pele 1kg ···················2250 cal

Esfregue o frango por dentro e por fora com a mistura dos ingredientes de tempero.

Se puder deixar marinar durante umas horas, ou de véspera, fica mais saboroso.

PRÉ-AQUECER O FORNO A 200º C.

Enfie na barriga do frango a casca do limão espremido.

Asse o frango durante 45 minutos a 1 hora dependendo do peso (800g a 1200g).

COMENTÁRIO: um frango no forno é sempre uma maneira fácil de resolver um jantar de amigos. Siga esta ideia de fazer 2 temperos diferentes. É sempre um sucesso. O segundo tempero é mais rico em calorias. Não se esqueça de acompanhar com muitos legumes de sabores variados e saladas imaginativas. No frango, a coxa é mais gorda do que o peito, mas a pele ganha a todos, prove mas não abuse!

FRANGO COM VINHO BRANCO

PARA 6 PESSOAS

1 frango partido em pedaços de
± 5 cm x 5 cm (ou 6 pernas inteiras)
300g de cogumelos
umas fatias de gengibre
1 cebola cortada às tiras
½ litro de vinho branco
2 folhas de louro
1 cchá de estragão seco ou 2 talos
frescos (substituível por tomilho)
2 csopa de azeite
sal e pimenta a gosto

CALORIAS

1 frango c/pele	2250 cal
300g de cogumelos	84 cal
1 cebola	60 cal
½ l de vinho	350 cal
2 csopa de azeite	120 cal
Por pessoa (6)	447 cal

Lave o frango e tire a gordura e, se quiser, tire a pele também.
Num tacho largo, aqueça o azeite em lume médio.
Aloure a cebola, o gengibre e o louro.
Junte o frango e frite por ± 10 minutos.
Junte o vinho branco, a erva, a pimenta e um pouco de sal.
Quando levantar fervura, diminua o lume para médio-baixo
Lave e corte os cogumelos às lâminas e junte ao frango.
Deixe fervilhar, meio tapado, durante ± 30minutos.
No fim ajuste o sal, porque uma boa parte do vinho terá evaporado.

COMENTÁRIO: tirar a pele é retirar a grande fonte de gorduras do frango. Os frangos "de campo" (teoricamente criados em liberdade e com alimentação vegetariana) são mais saborosos e a sua gordura conterá porventura menos produtos químicos.

COXAS DE FRANGO COM LARANJA E TOMILHO

PARA 4 PESSOAS

600g de coxas de frango
sumo de 1 laranja
tirinhas de casca de laranja
1 csopa de tomilho seco ou
folhinhas de 1 molho fresco
fio de azeite
sal e pimenta a gosto

CALORIAS

600g de coxa de frango ·········· 1020 cal
1 cchá de azeite ···························· 40 cal
Por pessoa (5) ······························ 212 cal

Lave as coxas de frango e marine de véspera, num *Pyrex,* com o sumo de laranja, casca de laranja, tomilho e fio de azeite.
Tempere com sal e pimenta antes de cozinhar.
Coza ao vapor tapado durante 10 minutos.
Vire e coza mais 10 a 15 minutos.
No fim junte mais um fio de azeite.

COMENTÁRIO: todas as receitas a vapor têm a vantagem de se poder controlar melhor a gordura, são fáceis de execução e limpinhas. Esta receita é um sucesso. Se fizer um passeio na natureza e encontrar tomilho fresco, traga para casa, vai ver como é aromático.

PEIXE O peixe é uma excelente fonte de proteínas de alta qualidade nutritiva com o benefício de ser rico em ácidos gordos essenciais ómega 3, vitaminas e minerais como o selénio, fósforo, cobre e zinco. Entre outras funções, os ácidos gordos essenciais participam na produção de energia do nosso organismo, formação das membranas celulares, transporte de oxigénio do ar para o sangue e produção de hemoglobina. Presentemente, é recomendado comer peixe pelo menos 3 vezes por semana. Os estudos indicam que o peixe nos protege das doenças do coração.

Por vezes temos preguiça de cozinhar peixe em casa. Experimente cozinhar a vapor: deixa menos cheiros, é rápido e é mais fácil de lavar. O peixe comprado já congelado não tem o mesmo paladar do fresco. O ideal é comprar o peixe ainda fresco e congelá-lo em casa.

Varie a qualidade de peixe. Pode marinar o peixe durante 15 a 20 minutos.

Como é uma proteína animal, o peixe só deve ser acompanhado por muitos vegetais e saladas. Se juntar um hidrato de carbono, faça-o em pequenas quantidades.

Bons acompanhamentos de vegetais: estufado de legumes,

pimentos grelhados, tomates assados, pudim de tomate, legumes mistos salteados, tomatada com cebola, legumes a vapor, abóbora grelhada, saladas mistas com ervas aromáticas, funcho salteado

100g de peixe sem espinhas, tem cerca de 150 calorias e 15 a 25g de proteína. (Informação nutritiva e como comprar ver Glossário)

PEIXE ASSADO COM COBERTURA DE AZEITONAS

PARA 4 PESSOAS

1 peixe de ± 1kg (p. ex., pargo, dourada, perca e robalo, pode-se usar filetes congelados)
2 cháv de puré de azeitonas (alho, gengibre e piripiri opcionais)
2 cebolas cortadas em rodelas
½ cháv de pão ralado
umas rodelas de pimento verde e vermelho (opcionais, para enfeitar)
sal e pimenta a gosto

CALORIAS

100g de peixe s/espinhas (por pessoa)	100-150 cal
½ cháv de pão ralado	150 cal
3 cháv de azeitonas	150 cal
2 cebolas	120 cal
Por pessoa(4)	205-255 cal

MANEIRA FÁCIL DE FAZER O PURÉ DE AZEITONAS:

Coloque as azeitonas, várias de cada vez, numa tábua.

Bata com uma faca grande (tipo cutelo chinês), DEITADO, para as esmagar.

Depois de todas esmagadas é que se tiram os caroços.

Desfaça a polpa com o cutelo ou a máquina de picar.

Abra e desosse o peixe (ver Glossário – Peixe).

Unte com azeite um recipiente para ir ao forno.

Coloque metade das cebolas no fundo e o peixe aberto em cima.

Cubra o peixe com o puré de azeitonas.

Espalhe o pão ralado em cima.

Espalhe a outra metade de cebolas (e os pimentos) em cima do peixe.

Asse o peixe no forno pré-aquecido a 200º C durante 20 minutos. Para quem gosta, pode-se queimar ligeiramente a superfície no fim da cozedura.

* Óptimo com a receita LEGUMES ESTUFADOS COM LIMÃO E ANETO.

COMENTÁRIO: a história da oliveira faz parte da história da agricultura no Mediterrâneo. Estudos arqueológicos levam a crer que já se fazia o seu cultivo entre 5.000 e 3.000 anos a.C. Símbolo da paz e da sabedoria, a oliveira foi introduzida na América pelos portugueses e espanhóis durante a Renascença. A azeitona é um fruto muito rico em gordura. As azeitonas verdes têm mais gordura do que as pretas.

SALMÃO FUMADO

PARA 4 A 5 PESSOAS

800g de filete de salmão com pele (não use postas cortadas transversalmente) ou 1 truta salmonada grande (ou várias pequenas) limpa e desossada (ver Glossário – Peixe)

PARA MARINAR

2 csopa de whisky
1 cchá de gengibre picado (opcional)
sal e pimenta (moída grossa) a gosto

PARA DEFUMAR

¼ de cháv de folhas de chá preto
1 csopa de açúcar
1 cháv de arroz não cozido
(Pode-se deitar estrelas de anis ou cominho ou outras especiarias nesta mistura, à excepção de pimenta e piripiri, que causariam muita tosse!)

CALORIAS

800g salmão ···························· 1120 cal
Por pessoa (5) ···························· 224 cal

UTENSÍLIOS

wok ou panela grande com tampa
suporte metálico baixinho para pousar o peixe (p. ex., uma grelha para arrefecer bolos)
papel de alumínio

Marine o peixe com 1 hora ou mais de antecedência

Coloque a folha de alumínio no fundo do *wok*.

Deite dentro os ingredientes para defumar.

Aqueça em lume alto até começar a deitar fumo.

Coloque o suporte metálico por cima desta mistura.

Pouse o peixe, com pele virada para baixo, em cima do suporte metálico.

Tape e deixar defumar durante 10 min em lume médio-alto.

Sirva quente ou arrefecido.

COMENTÁRIO: o salmão é um peixe bastante gordo, por isso escolha um acompanhamento leve baseado em vegetais e saladas. Ao juntar vegetais e saladas, ricos em água, baixa a densidade energética da refeição: uma questão importante para manter o seu peso estável. O ideal é manter a dose de salmão à volta das 100g, para controlar a quantidade de gordura da sua refeição.

TAMBORIL SALTEADO NO WOK À BULHÃO PATO

PARA 2 A 3 PESSOAS

500g de tamboril (ou cação limpo)
½ cháv de azeite
uns dentes de alho picados (quantidade a gosto)
coentros picados (ou aneto/*dill* fresco)
gengibre picado e piripiri, opcionais
¼ de cháv de sumo de limão
sal e pimenta a gosto

CALORIAS

600g peixe s/espinhas ·············· 650 cal
½ cháv azeite ························· 480 cal
Por pessoa (3) ······················· 377 cal

Corte o peixe em cubos de ± 2,5cm de lado.

Aqueça bem o wok e depois junte o azeite sem deixar queimar.

Salteie o alho, os coentros e os outros condimentos sem deixar queimar.

Junte o peixe.

Salteie em lume vivo durante ± 4 minutos, mexendo com cuidado.

Junte sal e pimenta mesmo no fim.

Desligue e acrescente o sumo de limão.

Sirva imediatamente.

* Experimente esta receita com línguas de bacalhau (500g)

COMENTÁRIO: uma receita rápida, deliciosa e muito ao nosso gosto. Assim como com todas as outras proteínas animais, acompanhe este prato apenas com uma pequena quantidade de hidrato de carbono mas com muitos vegetais e saladas.

PEIXE ASSADO COM CASTANHAS

PARA 6 A 8 PESSOAS

1 ou ½ peixe inteiro de carne firme de 1,5 a 2 kg (p. ex., pargo, perca, cherne ou garoupa)

500g de castanhas peladas (frescas ou congeladas)

2 cebolas cortadas às rodelas

2 dentes de alho, esmagados

2 folhas de louro

2 cháv de vinho branco

½ cháv de azeite

gengibre e piripiri (opcionais)

sal e pimenta a gosto

CALORIAS

800g de peixe s/espinhas	1040 cal
500g de castanhas	660 cal
2 cebolas	120 cal
240ml de vinho branco	175 cal
½ cháv de azeite	480 cal
Por pessoa (6)	412 cal

Unte com azeite um recipiente para ir ao forno.

Coloque o peixe no recipiente.

Espalhe sal por dentro e por fora do peixe.

Meta parte das cebolas e dos condimentos dentro da barriga.

Distribua o resto dos condimentos em baixo e em cima do peixe.

Espalhe as castanhas à volta do peixe.

Regue com vinho branco e azeite.

Asse o peixe no forno pré-aquecido a 180º C durante 40 a 50 minutos.

De vez em quando, regue o peixe com o molho.

COMENTÁRIO: isto é uma receita de festa que combina deliciosamente as castanhas e o azeite. É saborosa e fácil, mas é calórica. Guarde para ocasiões especiais. As castanhas são ricas em potássio e também contêm vitamina C, cobre, magnésio, ácido fólico, vitamina B6, ferro, tiamina e fósforo. Até ao princípio do século XX as castanhas eram uma parte importante da dieta das camadas populares portuguesas. Por isso, este prato combina um gosto tradicional com um toque exótico. Mastigue bem as castanhas para não causarem tantos gases!

POLVO COM VINHO TINTO

PARA 4 A 5 PESSOAS

1 polvo de 1kg (com o saco de tinta
para quem gosta)

3 tomates bem maduros, cortadinhos

2 a 3 cenouras cortadas aos segmentos
de ± 2cms

150g de cogumelos inteiros ou cortados
às lâminas

2 cebolas cortadinhas

alguns dentes de alho, esmagados

2 folhas de louro

1 noz de gengibre

½ cháv de azeite

1½ cháv de vinho tinto

coentros picadinhos

piripiri (opcional)

sal e pimenta a gosto

CALORIAS

1kg de polvo	663 cal
3 tomates	90 cal
2 cenouras	70 cal
150g de cogumelos	40 cal
2 cebolas	120 cal
300ml de vinho	222 cal
½ cháv de azeite	420 cal
Por pessoa (5)	325 cal

Corte o polvo previamente preparado (ver Glossário) aos segmentos de ± 2cms.

Aqueça o azeite numa panela.

Aloure as cebolas, o alho, o louro e o gengibre.

Refogue os tomates.

Passe o polvo neste molho por uns minutos.

Junte o vinho tinto (e a tinta do polvo para quem gosta).

Quando levantar fervura baixe o lume.

Acrescente as cenouras.

Deixe ferver em lume brando durante 15 minutos antes de juntar os cogumelos.

Deixe ferver em lume brando por mais 15 minutos.

Junte mais vinho ou o próprio caldo de polvo, se achar necessário.

Tempere e acrescente os coentros.

COMENTÁRIO: muito apreciado na cozinha mediterrânica, o polvo era considerado afrodisíaco pelos romanos. É rico em proteínas e tem pouca gordura. É mais fácil comprar congelado.

O BACALHAU vive nas águas frias e fundas do Atlântico Norte e do Pacífico. Vive em grandes cardumes especialmente na altura da reprodução. A fêmea chega a pôr 5 milhões de ovos de uma vez. O bacalhau sempre foi o peixe mais pescado no mundo. Já na Idade Média era o peixe com maior valor comercial. Existem pelo menos 60 espécies de bacalhau. Em Portugal é mais fácil obter bacalhau seco, apesar do bacalhau fresco ser um peixe delicioso e muito fácil de cozinhar. Mesmo demolhado o bacalhau é rico em sal.

100g de bacalhau têm cerca de 82 calorias.
(Para demolhar o bacalhau seco não congelado ver Glossário)

BACALHAU COM BERINGELA NO FORNO

PARA 5 PESSOAS

500g de bacalhau demolhado (lombo de
preferência)

2 beringelas (± de 500g)

75g de azeitonas pretas

1 cebola cortada às meias rodelas fininhas

alho picadinho, quantidade a gosto

½ cháv de azeite

pimenta a gosto

CALORIAS

100g de bacalhau/pessoa	82 cal
2 beringelas	108 cal
1 cebola	60 cal
½ cháv de azeite	960 cal
75g de azeitonas	80 cal
Por pessoa (5)	324 cal

Corte as beringelas em meias luas de ± ½ cm de grossura.

Coloque-as num recipiente próprio para irem ao forno do-microondas.

Coza tapadas a alta potência durante 5 minutos.

A alternativa é cozer a vapor durante 5 minutos.

Entretanto, coza a posta de bacalhau durante 3 minutos.

Desfie o bacalhau em lascas.

Coloque o bacalhau e as beringelas numa travessa para ir ao forno.

Junte as azeitonas e o alho e misture.

Distribua as meias rodelas de cebola em cima.

Regue com o azeite.

Deixe cozer no forno pré-aquecido a 200º C por 20 a 30 minu-tos.

Para quem gosta pode-se queimar ligeiramente a superfície no fim da cozedura.

Antes de servir ajuste o sal e junte pimenta a gosto.

COMENTÁRIO: uma receita completamente original e fácil. Abe-ringela é conhecida popularmente pelas suas propriedades diuréticas, laxantes e sedativas.

BACALHAU COM FEIJÃO FRADE E QUEIJO CREME

PARA 8 A 10 PESSOAS

1 lata pequena de feijão frade

azeite de manjericão (deve fazer-se com

1 dia de antecedência para ganhar bem

o sabor)

150g de bacalhau

1 ramo de manjericão (basílico)

100g de queijo fresco creme magro

sal e pimenta

outros condimentos a gosto

CALORIAS

1 cháv de leguminosas cozidas ·· 538 cal

2 csopa de azeite ························· 240 cal

150g de bacalhau seco ··············· 210 cal

100g de queijo fresco ················· 152 cal

Por pessoa (8) ···························· 142 cal

Bata ¼ de chávena de azeite no 1-2-3 com umas 10 folhas de manjericão.

Guarde num frasco fechado no frigorífico.

Ponha o bacalhau de molho e mude de água várias vezes.

Coza em água ou a vapor o bacalhau durante ± 3 minutos.

Deixe arrefecer, limpe e desfaça em lascas finas.

Ponha-o numa tigela e cubra com o azeite de manjericão (melhor se for feito de véspera).

Meta o feijão no copo misturador, tempere com um pouco de vinagre ou sumo de lima, fio de azeite, pimenta ou paprika a gosto. Reduza a mistura a puré.

Numa taça de servir, de preferência transparente, faça uma camada de base com o puré de feijão.

Em cima espalhe uma camada de queijo creme, as folhas frescas de manjericão e, por fim, as lascas de bacalhau com um pouco do azeite de manjericão.

Serve-se frio acompanhado de fatias de pão.

COMENTÁRIO: no Verão, este prato é delicioso servido como aperitivo. Pode usar o puré também para fazer sanduíches, aperitivos, ou para acompanhar pratos de peixe.

SALADA DE BACALHAU COM LARANJAS

PARA 6 PESSOAS

300g de bacalhau demolhado (lombo de preferência)

2 laranjas grandes

1 cebola média picada

salsa cortadinha (substituível por manjericão ou hortelã)

TEMPERO

¾ de cháv de azeite

¼ de cháv de vinagre branco ou de arroz (substituível por sumo de limão)

sal e piripiri a gosto

CALORIAS

300g de bacalhau ····················· 246 cal

2 laranjas ······························· 100 cal

1 cebola ································ 60 cal

3/4 de cháv de azeite ················ 180 cal

Por pessoa (6) ························· 98 cal

Coza a posta de bacalhau durante 3 minutos.

Enquanto o bacalhau arrefece, descasque as laranjas e corte-as aos cubinhos.

Desfie o bacalhau em lascas.

Junte as cebolas, as laranjas e a salsa.

Tempere e misture.

* Experimente usar rabanetes e rúcula em vez de laranjas.

COMENTÁRIO: esta receita de origem andaluza é uma maneira deliciosa de comer o bacalhau como entrada ou, num dia de Verão, como prato principal. O bacalhau é um peixe relativamente rico em colesterol.

LEGUMES A Minnie diz sempre aos seus pacientes: *Coma o arco-íris!*, expressão que explica bem o que deve ser a nossa mesa!

Mais cor na nossa alimentação, quer dizer, mais vegetais e mais fruta, o que é, em geral, muito bom para todos nós. Se considerarmos a palma da nossa mão como uma medida, deveríamos diariamente comer 5 medidas de vegetais e 2 de fruta.

As frutas e vegetais mais coloridos são geralmente os mais ricos em nutrientes. Quanto mais luz uma planta recebe, mais fotossíntese faz, mais açúcar produz para ser convertido em Vitamina C. Para lidar com tanta luz, a planta necessita de muitos fitoquímicos que lhe dão uma cor forte. Alguns deles são convertidos em Vitamina A no nosso corpo.

Muitos destes fitoquímicos são antioxidantes e ajudam-nos a reduzir o risco de cancro. Para além disso, as cores tornam os alimentos bonitos e apetitosos. Mas os alimentos de cor branca também têm as suas vantagens. Geralmente, quando estamos doentes apetece-nos uma alimentação sem cor: papas de arroz, peixe cozido, canjas, etc..

FUNCHO SALTEADO COM COULIS DE TOMATE

PARA 3 PESSOAS

200g de funcho

1 dente de alho

1 csopa de azeite

1 fatia de gengibre (opcional)

sal e pimenta a gosto

PARA O COULIS DE TOMATE

12 tomates cereja ou 1 tomate sem pele

1 cchá de azeite (também fica bem com óleo de sésamo)

sal e pimenta a gosto

CALORIAS

200g de funcho ································ 72 cal

1 csopa de azeite ························· 120 cal

1 cchá de azeite ·························· 40 cal

1 tomate ································· 30 cal

Por pessoa (3) ···························· 87 cal

Bata o tomate com o azeite e sal num copo misturador ou 1-2-3. Junte pimenta a gosto e guarde.

Lave a cabeça de funcho, mantendo-a inteira.

Corte às fatias finas paralelas à base.

Aqueça uma panela ou um *wok* e junte o azeite.

Aloure o alho e o gengibre.

Junte o funcho e salteie em lume vivo durante 2 a 3 minutos.

Tempere a gosto com sal e pimenta – também fica bom com tomilho.

Sirva o funcho enfeitado com o coulis de tomate e alguns tomates cerejas

COMENTÁRIO: o funcho é um vegetal originário do Mediterrâneo. Tem sido usado como vegetal, erva de cheiro e para fins medicinais. Pode ser comido cru ou cozinhado ou usado para fazer chá. Diz-se que tem propriedades diuréticas, antiespasmódicas e que actua como estimulante.

PURÉ DE BATATA-DOCE E HORTELÃ

PARA 4 A 5 PESSOAS
500g de batata-doce cozida
leite de vaca ou soja SIMPLES ± 300ml
(ver Glossário)
2 csopa de azeite
10 folhas de hortelã ou basílico
sal e pimenta a gosto

CALORIAS
500g batata-doce ···················· 533 cal
2 csopa de azeite ···················· 240 cal
300ml de leite de soja ·············· 98 cal
Por pessoa (5) ······················· 174 cal

Lave e coza as batatas com um pouco de sal.

Deixe arrefecer um pouco e descasque.

(Pode descascar antes de cozer, mas vá pondo a batata em água à medida que descasca, para não escurecerem).

Passe no passador.

Numa panela, em lume baixo, ponha a batata já passada e o azeite.

Junte, aos poucos, o leite (pode usar em parte o líquido de cozer as batatas) até ficar na consistência que gosta.

Junte as folhas de hortelã.

Mexa até incorporar bem o leite e o puré estar macio.

No fim, tempere com sal e pimenta.

* Pode usar o puré para fazer um prato de forno com puré de beringelas. Faça camadas dos dois purés, ponha queijo *Parmigiano* por cima e leve a gratinar.

COMENTÁRIO: em relação à batata comum, a batata-doce é mais rica em vitamina A, C e cálcio. Também é rica em vitamina B6, riboflavina, cobre, ácido pantoténico e ácido fólico. Quanto mais escura a batata-doce mais vitamina A tem. Por ser doce, é frequentemente usada para doces. Durante a cozedura as vitaminas hidrossolúveis perdem-se um pouco. Se a batata estiver descascada enquanto coze, pode aproveitar o líquido como base para uma sopa salgada ou doce.

PUDIM DE TOMATE

PARA 3 A 5 PESSOAS

1 lata de tomate inteiro (400g) ou
6 tomates frescos sem pele
1 cebola média às rodelas finas
1 ccafé de paprika
umas espigas de tomilho
1 ccafé de açúcar
6x6 cm de uma tira de gelatina vegetal
(ver Glossário)

CALORIAS

6 tomates ································· 180 cal
1 cebola ································· 60 cal
1 ccafé de açúcar ························· 7 cal
Por pessoa (4) ························· 61 cal

PARA DESCASCAR OS TOMATES:

Lave os tomates e ponha-os numa panela.
Deite água a ferver por cima.
Pique a pele com a ponta duma faca afiada.
Deixe estar 30 segundos.
Passe por água fria para poder descascar.

Ponha os tomates aos pedaços numa panela.
Junte a cebola, tomilho, paprika, sal e açúcar.
Levante fervura, esmigalhando os tomates à medida que for cozinhando.
Deixe fervilhar 20 minutos em lume brando.
Derreta a gelatina no microondas durante 2 minutos com um pouco de água.
Junte a gelatina ao tomate e ferva mais 2 minutos.
Use a varinha mágica para homogeneizar.
Deite num *Pyrex* e deixe no frigorífico durante umas horas.

IDEIAS PARA SERVIR O PUDIM DE TOMATE

SALADA DE GRÃO e lascas de bacalhau com pudim de tomate.

CAMADAS DE PUDIM DE TOMATE, requeijão (batido com azeite, coentros e sal), fatia de salmão fumado e paté de feijão. Salpique com *pesto* de azeite e coentros. Enfeite com verduras.

ACOMPANHA bem pratos de carne ou peixe.

COMENTÁRIO: o tomate e outros vegetais ou frutos de cor vermelha, tais como os pimentos, a beringela, a beterraba, os morangos e as outras bagas, são ricos em carotenoides e flavanoides. Estes fitoquímicos são antioxidantes.

O tomate é especialmente rico em licopenos, um antioxidante associado à prevenção do cancro da próstata. Um alto consumo de tomate quer dizer pelo menos um tomate por dia. Os licopenos tornam-se ainda mais assimiláveis como resultado do processo de cozedura. O tomate é rico em vitamina A, C e em potássio.

LEGUMES · 139

PURÉ DE ABÓBORA

PARA 2 PESSOAS

600g de abóbora aos cubos

1 csopa de azeite

1 dente de alho

sal a gosto

piripiri ou pimenta

folhas de hortelã para enfeitar (pode
juntar durante a cozedura para mais sabor)

1 cchá de requeijão batido por pessoa
(opcional, para enfeitar)

CALORIAS

1 csopa de azeite	120 cal
600g de abóbora	120 cal
1 cchá de requeijão batido	14 cal
Por pessoa (2)	130 cal

Descasque a abóbora e corte aos cubos.

Aqueça uma panela de fundo grosso em lume médio.

Junte o azeite na panela quente.

Aloure lentamente o alho (e o piripiri se gostar) para dar sabor ao azeite.

Tire e guarde o alho.

Junte os cubos de abóbora, mexa e misture com o azeite.

Deixe cozer tapado em lume muito brando durante 15 minutos.

Remexa de vez em quando mas mantenha tapado.

Veja se a abóbora está bem cozida, se estiver, destape.

Use a varinha mágica para fazer puré, ou então esmague com a espátula.

Deixe evaporar destapado até ficar mais consistente, mexendo.

Tempere a gosto.

Se usar pimenta, tempere só ao servir.

Pode usar o alho para enfeitar.

COMENTÁRIO: esta receita pode servir de sopa. Nesse caso, quando a abóbora estiver cozida, não destape para engrossar. Sirva com uma noz de requeijão no meio ou com um pouco de queijo *Parmigiano* ralado no fundo da tigela de sopa.

TOMATE NO FORNO COM "PURÉ DE FAVAS"

2h de forno

tomates de tamanho médio (pode usar
tomate em rama ou tomate *plum)*
azeite
orégão
puré de favas (ver receita no Capítulo
Leguminosas)

CALORIAS

1 tomate médio ·························· 30 cal
1 csopa de azeite ······················ 120 cal

Se usar tomates em rama, corte-os horizontalmente em 2 metades.
Coloque num *Pyrex* e salpique com orégão e pinguinhos de azeite.
Asse em forno aquecido a cerca de 150º.
Deve cozinhar devagar – a água vai-se evaporando e o sabor ficando mais concentrado.
Tire do forno e coloque uma colher de puré de favas em cima de cada metade de tomate.
Salpique com azeite fresco simples (ou de cheiro) e com sal marinho.

* Pode servir de entrada ou acompanhar peixe, carne ou refeição vegetariana.

COMENTÁRIO: nunca é pouco salientar a riqueza em licopenos do tomate. Estes licopenos são excelentes para a prevenção dos problemas de próstata. O tomate é uma fruta, use-o não só para as suas refeições, mas também para acepipes. Fica delicioso cortado aos bocadinhos, temperado, com fatia de pão e fio de azeite.

NABIÇAS SALTEADAS

nabiças de nabo (compre nabos com
as nabiças bem fresquinhas)
azeite ou óleo vegetal conforme
a quantidade de nabiças
alho
piripiri (opcional)
gengibre picado (opcional)
sal

CALORIAS

1 cháv de nabiças ·················· 34 cal
½ csopa de azeite ·················· 60 cal

Lave e escorra as nabiças com os talos.

Corte as nabiças em pedaços de cerca de 2 cm.

Aqueça bem uma panela ou *wok*.

Junte o óleo ou azeite.

Aloure o alho (e gengibre).

Junte piripiri se gostar.

Junte as nabiças e mexa bem durante uns 3 a 4 minutos.

No fim, junte o sal, mexa e sirva.

Se usar óleo, no fim, pode temperar com um fio de azeite fresco.

* Pode usar agrião: lave e escorra bem o agrião, mantenha os talos, corte aos bocados e siga a mesma técnica. Pode usar outros legumes, tais como a cenoura aos cubinhos, a courgette às fatias, os brócolos com o talo descascado, couve cortada fininha, espinafres, etc..

COMENTÁRIO: as nabiças do nabo são excelentes para o funcionamento do intestino. São ricas em vitamina A, B e C, potássio e magnésio. Use os nabos para fazer salada (veja receita no livro *Paladares Pacíficos)*. Também pode usar nabiças da beterraba.

COUVE PORTUGUESA ESTUFADA NO SEU VAPOR

couve portuguesa
alho a gosto
gengibre picado (opcional)
piripiri (opcional)
azeite conforme a quantidade de couve
sal

CALORIAS

1 cháv de couve ·························· 20 cal
½ csopa de azeite ······················· 60 cal

Lave a couve e corte aos pedaços de 3 a 4 dedos.

Aqueça uma panela que tenha tampa.

Junte o azeite e, logo de seguida, o alho (gengibre e piripiri, opcional).

Deixe alourar.

Junte a couve, o sal e misture.

Cozinhe tapado ± 10 minutos, conforme a quantidade de couve.

A couve mais tenra demora menos a cozinhar.

Tempere com sal e azeite no fim.

* Fica bem com qualquer prato de peixe ou carne, ou vegetariano.

COMENTÁRIO: as couves são fonte de cálcio e fibra para além de várias vitaminas e outros minerais.

SALADA DE AIPO COM ATUM E LIMÃO

PARA 4 PESSOAS

300g de atum

4 talos de aipo

um punhado de folhas novas de aipo

TEMPERO

azeite (pouco, mesmo escorrido o atum contém muito óleo)

sumo de limão a gosto

sal e pimenta a gosto

CALORIAS

4 aipos ···································· 40 cal

300g de atum em óleo ·············· 858 cal

Por pessoa (4) ··························· 224 cal

Corte os talos do aipo em lâminas finas.

Junte o atum, tempere e misture.

Enfeite com as folhas do aipo lavadas e bem escorridas.

COMENTÁRIO: o atum é um dos peixes "gordos", ricos em ácidos gordos essenciais da série n-3. Estes ácidos gordos são muito saudáveis para a nossa saúde. Se tem peso a mais, porém, lembre-se que as calorias também contam. A recomendação actual é a de comer a sua dose de peixe 3 vezes por semana, variando a qualidade de peixe, para que não seja sempre gordo. Ao juntar o aipo ao atum está a diminuir a densidade energética da sua refeição.

SALADA DE PÊRA ABACATE COM MAÇÃ E CAMARÃO

PARA 4 PESSOAS

200g de miolo de camarão

1 pêra abacate

1 maçã vermelha

TEMPERO

2 csopa de maionese

(ou nata de soja temperada)

1 csopa de sumo de limão

sal e pimenta a gosto

CALORIAS

200g de camarão	214 cal
1 abacate	306 cal
1 maçã	80 cal
2 csopa de maionese	50 cal
Por pessoa (4)	162 cal

Coza o miolo de camarão (mesmo congelado, ½ minuto deve chegar) e deixe arrefecer.

Corte a maçã, sem descascar, aos cubinhos.

Abra a pêra abacate em duas metades sem descascar.

Tire o caroço e, com uma faca, faça incisões fundas para fazer quadradinhos.

Tire os cubos com uma colher de sopa e deite-os num recipiente para servir.

Junte o sumo de limão, a maçã e o camarão.

Adicione a maionese e tempere.

Misture com cuidado para não desfazer demais a pêra abacate.

Acompanhamento: vai bem com uma boa salada verde. Faça dessa salada uma refeição de Verão.

COMENTÁRIO: o camarão tem menos gordura total do que o bacalhau mas é proporcionalmente mais rico em colesterol. É rico em vitamina B12 e niacina, para além de vários minerais. A pêra abacate é conhecida como a "manteiga da selva" pela sua riqueza em gordura. É uma fruta muito nutritiva, rica em ácido fólico, potássio e vitamina B6 entre outras. É de fácil digestão, porque tem enzimas que ajudam a digestão da gordura.

BERINGELAS GRELHADAS COM LIMÃO E CURCUMA

PARA 2 PESSOAS

1 beringela cortada às fatias
azeite ou óleo de sésamo
sumo de 1 limão
1 ccafé de curcuma ou caril
alho a gosto, picado
sal

CALORIAS

100g de beringela ·················· 27 cal

Misture 1 colher de café de curcuma com o sumo de limão.
Lave e corte as beringelas às rodelas e, com um pincel, ou uma colher, molhe logo com limão para não escurecerem.
Aqueça uma placa de ferro grande ou uma frigideira grossa.
Unte o fundo da frigideira, ou da placa, com o azeite ou óleo de sésamo.
Aloure o alho.
Coloque as rodelas de beringela e deixe-as grelhar em lume médio.
Quando tirar, pode pô-las em papel de cozinha para absorver a gordura em excesso.

* Fica bem com peixe ou carne e pratos vegetarianos. Bom para sanduíches.

COMENTÁRIO: tal como o tomate, a beringela também é uma fruta. Não é das mais fáceis de cozinhar, porque absorve imensa gordura. Por isso esta receita é tão boa, porque permite controlar a quantidade de gordura.

COGUMELOS, CASTANHAS E ENDIVAS ESTUFADOS

PARA 6 PESSOAS

300g de castanhas sem pele (frescas ou congeladas)

300g de cogumelos inteiros (ou míscaros)

6 endivas inteiras (substituíveis por couve)

4 a 6 cebolinhas inteiras

1 pau de canela

1 estrela de anis

1 noz de gengibre (opcional)

½ cháv de azeite

½ litro de água ou caldo (de ave ou carne)

sal e pimenta a gosto

CALORIAS

300g de castanhas ···················· 396 cal

300g de cogumelos ···················· 81 cal

6 cháv de endivas ···················· 48 cal

½ cháv de azeite ···················· 480 cal

6 cebolinhas ···················· 150 cal

Por pessoa (6) ···················· 192 cal

Coloque as cebolinhas, as castanhas, os cogumelos e as endivas numa panela.

Regue com o caldo e o azeite e ponha a ferver.

Junte a canela, a estrela de anis, o gengibre e um pouco de sal.

Quando levantar fervura, baixe o lume para médio.

Deixe cozer tapado durante ± 15minutos – o tempo de cozer as castanhas – e ajuste o sal.

COMENTÁRIO: pode usar este prato para acompanhar arroz ou, em menor quantidade, com peixe. Fica delicioso. As castanhas são muito ricas em amido, um hidrato de carbono de reserva, são também ricas em vitamina C e potássio e têm fama de causar muitos gases, sobretudo se comidas cruas. Mastigue bem para minimizar este efeito. Podem ser guardadas no congelador durante 6 meses.

ALHO FRANCÊS COM VINHO BRANCO

PARA 4 A 6 PESSOAS

3 talos (a parte branca) de alho francês

2 folhas de louro

1 raminho de tomilho seco ou fresco

¼ de cháv de azeite

½ litro de vinho branco

CALORIAS

3 alhos franceses ···················· 180 cal

¼ de cháv de azeite ················· 240 cal

½ litro de vinho ······················· 370 cal

Por pessoa (6) ·························· 131 cal

Lave bem os talos de alho francês sem os desfazer.

Corte em segmentos de ± 5 cm.

Aqueça o azeite num tacho pouco fundo.

Aloure em lume médio o alho francês, virando.

Junte o vinho branco, as folhas de louro, o tomilho e um pouco de sal.

Deixe fervilhar durante ± 15 minutos.

Ajuste o sal e adicione pimenta a gosto.

COMENTÁRIO: o alho francês é muito usado nas nossas sopas mas esta receita é uma sugestão para usar como acompanhamento. Têm imensa quantidade de água e poucas calorias. O alho francês é uma fonte de ácido fólico, ferro, potássio, vitamina C, magnésio, cálcio e cobre. São conhecidos popularmente por serem laxantes, diuréticos, tónicos, antisépticos e antiartríticos.

LEGUMES ESTUFADOS COM LIMÃO E ANETO

PARA 6 A 8 PESSOAS

6 batatinhas novas com casca,
bem lavadas

6 cenouras descascadas e cortadas
aos pedaços

2 cabeças de funcho lavadas e cortadas
às rodelas

2 courgettes (1 verde e 1 amarela)
às rodelas

2 cebolas às rodelas

½ cháv de sumo de limão

½ cháv de azeite

1 csopa de aneto *(dill)*, fresco ou seco

sal e pimenta a gosto

CALORIAS

6 batatinhas (médias) ·············· 264 cal

6 cenouras ··························· 210 cal

2 courgette (aboborinha) ·········· 80 cal

2 cebolas ··························· 120 cal

2 funchos ···························· 72 cal

½ cháv de azeite ················· 480 cal

Por pessoa (8) ·················· 153 cal

Espalhe as rodelas de cebola numa panela.

Coloque as batatas, as cenouras e o funcho em cima.

Junte água (ou caldo) até a meia altura dos legumes e ponha a ferver.

Junte o aneto e um pouco de sal.

Regue com o azeite e o sumo de limão.

Quando levantar fervura, baixe o lume para médio.

Coza, TAPADO, durante 15 minutos antes de juntar as courgettes.

Coza, DESTAPADO, por mais 10 minutos.

Ajuste o sal.

* Pode-se juntar também corações de alcachofra. Se juntar chocos ou bacalhau, já faz um prato principal.

Fica bem com cuscuz ou outro cereal e uma salada.

COMENTÁRIO: para além da sua riqueza em água, o funcho tem um sabor delicioso e original. É uma excelente fonte de potássio, vitamina C, ácido fólico, magnésio, cálcio e fósforo para além de ser considerado diurético, antiespasmódico e estimulante.

LEGUMES · 151

MOLHOS DE SALADA

VINAGRETE CLÁSSICO

Agitar bem num frasquinho os ingredientes:

¾ de cháv de azeite

¼ de cháv de vinagre

1 cchá de mostarda de boa qualidade

sal e pimenta

VINAGRETE BALSÂMICO

Agitar bem num frasquinho os ingredientes:

¾ de cháv de azeite

¼ de cháv de vinagre balsâmico

sal e pimenta

VINAGRETE BALSÂMICO COM MANTEIGA DE AMENDOIM

Misturar com a varinha mágica os ingredientes:

½ de cháv de azeite

¼ de cháv de vinagre balsâmico

1 csopa de manteiga de amendoim

sal e pimenta

piripiri a gosto

MOLHO CÍTRICO COM LIMÃO E GENGIBRE

Agitar bem num frasquinho os ingredientes:

¾ de cháv de azeite

¼ de cháv de sumo de limão

½ cchá de raspa da casca

2 cchá de sumo de gengibre (é fácil extrair

com a esmagadora de alho)

sal e pimenta

MOLHO CÍTRICO COM TANGERINA

Agitar bem num frasquinho os ingredientes:

¾ de cháv de azeite

¼ de cháv de sumo de limão

1 csopa de sumo de tangerina

½ cchá de raspa da casca de tangerina

sal e pimenta

MOLHO COM QUEIJO ROQUEFORT

Misturar com a varinha mágica os ingredientes:

¾ de cháv de azeite

¼ de cháv de vinagre de vinho tinto

1 noz de queijo *Roquefor* (bastante salgado)

sal e pimenta

PESTO DE AMÊNDOA

Reduzir a uma pasta numa batedeira os ingredientes:

50g de amêndoa

alho a gosto

2 cháv de azeite

½ cháv de sumo de limão

sal e pimenta

coentros (opcionais)

PESTO DE SÉSAMO

Misturar com a varinha mágica os ingredientes:

½ cháv de azeite

2 csopa de tahini ou pasta de sésamo chinesa

¼ de cháv de sumo de limão ou vinagre de arroz

umas gotas de óleo de sésamo (opcionais)

alho a gosto

sal e pimenta

SUGESTÕES DE SALADAS

Endivas com maçã e noz + molho com *Roquefort*

Beterrabas cozidas (30 a 40 minutos conforme o tamanho) + *pesto* de amêndoa ou molho cítrico

Espinafres/agriões/canónigos e tomatinhos + vinagrete

Alface com maçã e pinhões + vinagrete balsâmico

Courgette (cortada fininha) + vinagrete com manteiga de amendoim

Beringela (cozida no forno de microondas ou a vapor) + *pesto* de sésamo.

AZEITES DE CHEIRO A nossa alimentação é uma fonte inesgotável de sensações. A textura, o paladar, o cheiro, a cor são ingredientes diários das nossas vidas, indissociáveis da companhia. Estas sensações acordam emoções dentro de nós. Cedo se estabelecem padrões de prazer nas nossas vidas familiares que ligam os laços humanos ao que junto consumimos.

A gordura é um ingrediente que abre os sabores da comida. É normal que a procuremos. No entanto, a sua riqueza calórica constitui um travão para a sua utilização exagerada. Quando os seres humanos se tornaram sedentários, tiveram que aprender a cortar na quantidade de gordura ingerida como maneira de salvaguardar a saúde. Por isso, a nossa expontânea criatividade agarrou mão dos cheiros e condimentos para que os laços de prazer com a comida nos continuassem a juntar à volta da mesa. Todas as grandes civilizações desenvolveram verdadeiras ciências dos cheiros e dos sabores. O azeite é um excelente veículo para captar toda essa panóplia de experiências gustativas.

Historicamente, o azeite é um dos principais condimentos das culturas que se formaram através dos séculos no Mediterrâneo e no sul da Europa. O seu valor alimentar é enorme e, até por isso, acabou por assumir um peso simbólico fortíssimo. Com azeite eram ungidos os reis judaicos e com a unção de azeite se transmitem ainda as graças divinas no ritual da Igreja Católica Romana. O ramo de oliveira é o símbolo da paz – o símbolo dessa partilha comum de um bem-estar que se reactualiza de cada vez que um grupo de pessoas partilha uma refeição.

É frequente as pessoas pensarem que, por ser azeite, a gordura não faz mal. Na verdade as qualidades nutritivas do azeite são excelentes mas as calorias não deixam por isso de estar lá! Todas as calorias que comemos em excesso ficam guardadas dentro de nós! Cuide de si, mantenha-se equilibrado.

Se tiver à mão em sua casa alguns dos azeites de cheiro que aqui lhe propomos, pode condimentar um prato, dando-lhe um gosto mais intenso e atraente sem utilizar tanta gordura como é habitual fazer. Prepare-os com antecedência, é uma forma agradável de passar umas horas livres que, mais tarde, quando tiver menos tempo, renderá bem...

1 colher de sopa de azeite tem 120 calorias

AZEITE DE ALHO CARAMELIZADO E ERVAS FRESCAS

2 csopa de azeite extra virgem
10 dentes de alho
pitada de piripiri ou pimentão seco
folhas de 3 espigas de rosmaninho
ou salva fresca (± 2½ csopa de folhas)

Numa panela pequena junte o azeite, alho e piripiri ou pimentão seco.

Coza durante cerca de 5 minutos em lume muito baixo até o alho estar mole, dourado, mas não queimado, e pequenas bolhas se formarem à volta.

Tire o alho e guarde, pode usar para decorar.

Junte as ervas frescas e deixe cozinhar em lume brando cerca de 3 minutos.

Pode guardar em frasco tapado no frigorífico até 3 meses.

AZEITE DE SALVA

½ cháv de azeite
2 dentes de alho
¼ de cháv de folhas de salva
pitada de sal
piripiri opcional

Numa panela pequena, junte o azeite, alho e piripiri ou pimentão seco.

Coza durante cerca de 5 minutos em lume muito baixo até o alho estar mole, dourado, mas não queimado, e pequenas bolhas se formarem à volta. Tire o alho e guarde. Há quem goste de comer.

Junte a salva e deixe cozinhar em lume brando cerca de 3 minutos.

AZEITE COM COMINHOS

1 cháv de azeite
1 cchá de cominhos
piripiri opcional
pitada de sal a gosto

Numa panela pequena aqueça o azeite em lume brando com os cominhos (e piripiri, opcional).

Deixe fervilhar os cominhos durante 2 a 3 minutos em lume baixo (criam-se bolinhas à volta dos cominhos, não é bem ferver o azeite).

Retire do lume, ponha num frasco e deixe repousar durante uma noite.

AZEITE DE MANJERICÃO

3 cháv de folhas de manjericão

1 cháv de azeite

pitada de sal

SUGESTÃO

Pode fazer a mesma receita com
cebolinho, espinafres, uma pitada
de sal, uma pitada de açúcar e azeite

Ferva uma boa quantidade de água.

Guarde ao seu lado uma taça com água fria e pedras de gelo.

Junte o manjericão à água a ferver.

Tire ao fim de 2 minutos.

Coloque imediatamente na água fria.

Quando as folhas estiverem frias, tire da água e esprema bem.

Coloque as folhas com o azeite num 1-2-3.

Junte uma pitada de sal e bata cerca de 3 minutos.

Guarde no frigorífico.

AZEITE DE COENTROS, HORTELÃ E MANJERICÃO

1 cháv de coentros

½ cháv de manjericão

¼ cháv de hortelã

¼ cchá de sal

1/3 cháv de azeite extra virgem

Num pilão ou 1-2-3, esmague as ervas e o sal e junte-lhes o azeite
aos poucos. Deixe marinar pelo menos 1 hora.

TOMATADA COM AZEITE E ALHO

PARA A TOMATADA

1 lata de tomate pelado inteiro (400g)

1 dente de alho, esborrachado

1 csopa de azeite

1 ccafé de açúcar

sal e piripiri

Aqueça uma frigideira e junte o azeite.

Aloure o alho sem deixar queimar.

Junte o tomate e açucar.

Parta o tomate à medida que cozinha com a colher de pau.

Deixe cozinhar até ficar bem apurado e o líquido se evaporar.

Vá mexendo para não agarrar.

Tempere com sal.

COMENTÁRIO: Esta tomatada é uma base excelente para muitos
pratos de massa ou como acompanhamento. Pode ser congela-
da, é muito útil.

ACEPIPES E ENTRADAS Os acepipes (*snacks* em Inglês, *tapas* em Espanhol) podem ser considerados como reforços mais ligeiros das refeições principais. Ajudam a estabilizar a nossa fisiologia no decorrer do dia, entre as refeições, evitando as quebras e picos metabólicos que para tantos de nós estão associados a alterações da paciência, a uma redução na capacidade de concentração, a alguma irritabilidade, etc.. Se não for em excesso, só lhe pode fazer bem comer algo de vez em quando durante o dia. Podem ser doces ou salgados.

Dê-se ao luxo de os preparar com gosto, cor e boa apresentação. Nunca se esqueça do aspecto lúdico da alimentação. Nos dias em que estamos em casa, mas não há tempo para fazer uma refeição inteira, pode bem substituir uma refeição por 2 snacks intervalados por 2 horas. Lembre-se, no entanto, comer um acepipe não é ir à cozinha de meia em meia hora comer quantidades "esquecidas" disto ou daquilo. Um acepipe é um "pratinho" completo que deve ser saboreado e acompanhado de uma pausa de, pelo menos, 10 minutos! Não diga a si próprio que não tem tempo, porque com o tempo vão os "momentos" especiais da vida.

Estas ideias não precisam de receitas.
Deixamos lugar ao improviso e gosto pessoal de cada um.
As quantidades devem ser moderadas.
Lista de ingredientes úteis para preparar acepipes (ver Glossário)

ACEPIPES DOCES Os acepipes devem ser nutritivos e de preferência compostos de hidratos de carbono complexos. Para quem não resiste ao açúcar, tente comê-lo como um acepipe de hidrato de carbono complexo às 16horas e à ceia.

PAPAS DE MILHO E BATATA-DOCE

1 litro de leite de soja adocicado com maçã

¼ de cháv de sêmola milho

½ csopa de açúcar amarelo

1 batata-doce média cortada aos cubos

pau de canela a gosto

casca de laranja

1 csopa de amêndoas peladas às lascas

Doses de 150ml: 125 calorias

Ferva o leite de soja com o pau de canela, casca de laranja e sêmola de milho.

A meio, junte a batata-doce e as amêndoas até a sêmola estar bem cozinhada.

Mexa sempre para não colar.

LEITE DE SOJA COM MEL E SEMENTES DE SÉSAMO

76 calorias

120 ml de leite de soja, quente ou frio, com 1 colher de chá de mel e 1 colher de chá de sementes de sésamo um pouco esmigalhadas num almofariz.

SOPA DE ARROZ OU ALETRIA COM PASSAS

1 litro de leite de soja adocicado com maçã (120ml por pessoa)

1 cháv de arroz ou aletria

½ csopa de açúcar amarelo

1 csopa de passas

casca de limão

125 calorias

Coza o arroz no leite de soja em lume brando com os restantes ingredientes.

Mexa para não colar.

Pode deixar ferver mais ou menos tempo, conforme a espessura que gostar.

DELÍCIA DE FRUTA COM LEITE DE SOJA E CEREAIS

120ml de leite de soja (pode usar uma mistura de leite de soja e queijo fresco creme magro)

1/3 de banana às rodelas fininhas

1/4 de maçã às rodelas fininhas

1 cchá de passas de fruta

1 cchá de nozes picadas

1 csopa de flocos de aveia

ou *All Bran Flakes*

120 calorias

Num *Pyrex* (untado com óleo) para ir ao forno, ponha camadas de banana, maçã, algumas passas, um pouco de nozes e um pouco de flocos de aveia.

No fim, cubra com leite de soja.

Vai ao forno ou microondas.

Come-se quente.

QUEIJO FRESCO COM GENGIBRE CRISTALIZADO

120 calorias

½ queijo fresco às fatias com 2 fatias de gengibre cristalizado.

QUEIJO FRESCO COM FIGOS

170 calorias

2 figos maduros abertos ao meio com 1 fatia de queijo fresco cada. Pitada de sal.

RICOTTA OU REQUEIJÃO COM BULGUR E MEL

2 csopa de *ricotta* ou requeijão
2 cchá de bulgur cozido
1 cchá de mel.
2 csopa de requeijão (50 cal)
salpicos de amêndoa.

134 calorias

Bata o requeijão, salpique com o bulgur já cozido, mel e amêndoa.

ABÓBORA GRELHADA COM REQUEIJÃO E MEL

3 fatias finas de abóbora
2 csopa de requeijão batido
1 cchá de mel
1 ccafé de nozes

136 calorias

Grelhe fatias de abóbora em chapa ou frigideira anti-aderente, apenas untada com um fio de óleo.
Sirva 3 fatias com 2 colheres de sopa de requeijão batido, colher de chá de mel e salpique com nozes por cima.

MAÇÃ NO MICROONDAS COM FRUTOS SECOS

1 maçã

1 cchá de passas

2 alperces secos ou figo seco

135 calorias

Tire o coração a uma maçã reineta com casca e coloque num tigela.

Recheie com 1 colher de chá de passas e 2 alperces secos cortadinhos.

Salpique com água (com chá forte, ou chá de gengibre, é ainda melhor).

Tape e cozinhe 3 a 4 minutos no microondas até a maçã estar cozida.

Para variar pode rechear com gengibre cristalizado e hortelã.

CREMOSO DE MANGA COM LEITE DE SOJA E HORTELÃ

1 manga madura

2 csopa de leite de soja

hortelã

187 calorias

Bata 1 manga, 2 colheres de sopa de leite de soja e 2 folhas de hortelã.

Salpique de sementes ou oleaginosas a gosto.

PÊRA COM LASCAS DE PARMIGIANO

1 pêra

20g de *Parmigiano*

180 cal

Descasque a pêra e sirva com lascas de *Parmigiano*.

ACEPIPES SALGADOS *Snacks* de pão: deve usar pão integral ou qualquer outro pão de farinha não refinada (tipo Mafra ou Alentejano). Sirva 1 a 2 fatias de pão e restantes ingredientes conforme as suas necessidades. Estas ideias também servem para recheios de sanduíche. Quando usar queijo fresco, *mozarella* ou tomate fresco em sanduíche, escorra bem o líquido (embrulhe em papel de cozinha para espremer) para o pão não ficar molhado.

1 fatia de pão integral tem cerca de 70 calorias.

COMPONHA UM PRATO OU SANDUÍCHE

103 calorias

2 colheres de sopa de PATÉ DE LEGUMINOSAS (ver receita no Capítulo LEGUMINOSAS)
um fio de azeite no pão
1 tomate cortado, coentros frescos e fio de azeite
salpicos de sal grosso e pimenta a gosto

30 calorias

1 tomate aos cubinhos
1 colher de chá de azeite e salsa
sal e pimenta a gosto

40 calorias

2/3 de chávena de sobras de legumes estufados e ervas frescas

80 calorias

2 colheres de sopa de CREME DE REQUEIJÃO (veja Capítulo DOCES) com palitos de vegetais (cenoura, aipo, cogumelos frescos, endivas, etc.)
fio de azeite, sal e pimenta e ervas frescas

90 calorias

2 colheres de sopa de Requeijão (ou *Ricotta*) com coentros ou cebolinho
salada de 1 tomate com fio de azeite
sal e pimenta a gosto

105 calorias

15g de queijo *Parmigiano* com copo de sumo de tomate fresco

60 calorias

2 fatias de beringela grelhada (ver LEGUMES)
1 colher de sopa de queijo creme com hortelã
fio de azeite

60 calorias

legumes grelhados: 2 a 3 fatias de beringela ou courgette (aboborinha), abóbora, cogumelos ou pimentos
um fio de azeite, sal grosso, pimenta ou piripiri e alface
1 colher de sopa de queijo creme com ervas frescas

60 calorias

2 colheres de sopa de creme de requeijão com hortelã, tomate
e alface.
um fio de azeite.

60 calorias

2 colheres de sopa de creme de requeijão batido com pimento
grelhado, cebolinho ou outras ervas frescas
tomate e alface
um fio de azeite

PASTAS DE ATUM

100g de atum em óleo ·············· 286 cal

Escorra bem o óleo do atum e esmigalhe-o com um garfo.
Tempere-o com:
sumo de lima ou limão, coentros, gengibre picadinho e piripiri,
óleo de sésamo, *wasabi*, sumo de limão ou gotas de vinagre.

Para ligar a pasta de atum para sanduíche, em vez de maionese,
pode usar queijo fresco creme magro.

DOCES *Global Sweets*, os doces que fazem bem!

Urge reinventar as sobremesas! Trata-se de um movimento global. Em toda a parte estamos ameaçados pela relação desequilibrada entre a doçura excessiva e a nossa forma de vida sedentária. Se queremos mais saúde, temos que aprender a apreciar os *global sweets*: sobremesas mais subtis no açúcar; doces, mas não de assolapar. Aprenda a deixar mais lugar nas suas sobremesas aos outros sabores que juntava ao açúcar. A nova sobremesa come-se também entre as refeições, ou mesmo como um mimo a qualquer hora. Há, porém, que evitar repetir a dose, está claro; a menos que, depois de ter feito muito exercício, os seus músculos o peçam!

Desabitue o seu paladar dos excessos de açúcar aos poucos e poucos.

O resultado é GLOBALMENTE melhor: continua a ser doce, mas não faz mal!

A Minnie não recomenda aos seus pacientes o uso de adoçantes, existem bons açúcares biológicos.

Em dias de festa pode sempre ser um pouco mais generoso, com o açúcar, como com tudo o resto!

PÊSSEGOS COM COULIS DE FRAMBOESAS

PARA 8 PESSOAS

4 cháv de água

8 pêssegos

raspas de 1 laranja

raspas de 1 limão

canela a gosto

2 csopa de açúcar

COULIS

500g de framboesas

sumo de 1 limão

2 csopa de raspas de amêndoas torradas

CALORIAS

8 pêssegos	280 cal
2 csopa de açúcar	90 cal
500g de framboesas	180 cal
sumo de limão	5 cal
2 csopa de amêndoas	87 cal
Por pessoa (8)	80 cal

FAZER O COULIS:

Bata as framboesas num copo misturador com 1 chávena do líquido de ferver os pêssegos.

Junte o sumo de limão.

Prove, e, se necessário, junte um pouco de açúcar amarelo.

Numa panela, deixe ferver durante 10 minutos a água, as raspas de laranja e limão, e o açúcar.

Ponha canela se gostar.

Junte os pêssegos lavados com ou sem casca, como preferir (a casca dá textura).

Ferva 8 minutos.

Deixe-os arrefecer no líquido.

Tire os pêssegos do líquido e sirva com o coulis de framboesa e amêndoas torradas.

COMENTÁRIO: o pêssego é uma boa fonte de potássio, vitamina C, A e niacina. Os produtores cobrem-nos com uma espécie de cera para prolongar a vida comercial do pêssego. Por isso, lave bem antes de usar.

DELÍCIA DE FRUTAS COM ESPUMA DE MORANGOS

PARA 4 PESSOAS

1 maçã
1 banana
1 csopa de passas
2 alperces secos cortados aos cubinhos
1 noz picada

PARA A ESPUMA DE MORANGO

2 cháv de morangos maduros
6x2 cm de gelatina vegetal (ver Glossário)
1 clara de ovo batida
2 cchá de açúcar amarelo

CALORIAS

2 cháv de morangos	92 cal
1 clara de ovo	20 cal
2 cchá de açúcar	30 cal
1 banana	120 cal
1 maçã	80 cal
1 csopa de passas	33 cal
2 alperces	30 cal
1 noz picada	50 cal
Por pessoa (4)	111 cal

FAZER A ESPUMA:

Num copo misturador, bata os morangos com o açúcar.

Coloque a gelatina numa taça *Pyrex*.

Tape apenas com água e leve ao microondas durante 2 minutos.

Deixe arrefecer um pouco e mexa com um garfo – NÃO DEIXE FICAR DURA.

Junte a gelatina aos morangos.

Bata bem e, no fim, junte a clara de ovo batida em castelo.

Tire o caroço das maçãs com uma faca.

Recheie as maçãs de passas e alperce.

Salpique de água, tape e coza no microondas por 2 a 3 minutos.

Deixe arrefecer um pouco.

Coza 1 banana com casca no microondas cerca de 2 min.

Descasque e escorra o líquido que se formou.

Desfaça com um garfo.

Em taças de vidro, sirva um pouco das frutas com a espuma de morango.

Salpique com noz picada.

COMENTÁRIO: estes arranjos de frutas são improvisos para aqueles dias de semana em que nos apetece um mimo sem excessos. Lembre-se, guarde o consumo principal de açúcares para os dias de festa. Assim é que se fazia nos campos portugueses até ainda há bem pouco tempo. E só lhes fazia bem!

FRUTAS DE INVERNO COM CREME DE REQUEIJÃO

PARA 4 PESSOAS

2 ameixas pretas secas
4 alperces secos
1 csopa de passas de uva
1 pêra descascada, aos pedaços
½ maçã reineta descascada, aos pedaços
sumo de 1 a 2 laranjas
1 csopa de creme de requeijão por pessoa
(ver receita "Creme de requeijão")

CALORIAS

2 ameixas secas ···························· 30 cal
4 alperces secos ··························· 60 cal
1 pêra ····································· 100 cal
1/2 maçã ··································· 40 cal
sumo de laranja ··························· 30 cal
1 csopa de requeijão/pessoa ········· 20 cal
Por pessoa (4) ···························· 70 cal

Junte numa panela pequena os frutos secos e o sumo de laranja. Aqueça em lume médio.
Descasque a pêra e maçã e junte à medida que descascar.
Cozinhe em lume brando tapado durante ± 5 minutos.
Destape e deixe evaporar o sumo sem deixar colar.
Pode comer-se morno.

* Para comer com creme de requeijão, é melhor arrefecer um pouco. Junte apenas 1 colher de sopa para não carregar nas calorias. Se gosta de canela pode juntar um pauzinho. Pode fazer com outras frutas e juntar também umas gotas de um qualquer licor da sua preferência.

COMENTÁRIO: no Inverno, apetece-nos mais sobremesas quentes. Use esta receita como base para os seus apetites doces de Inverno. Improvise com outras frutas. Também pode acompanhar com queijo fresco creme.

CREME DE REQUEIJÃO

CALORIAS

1 csopa ································· 20 cal

O requeijão que se vende nas nossas mercearias em cestinhos de plástico é recomendável.
Bata o requeijão num 1-2-3 com uma pitada de sal até fazer creme (uns minutos).

COMENTÁRIO: uma pitada de sal ajuda a contrastar com o doce das frutas ou outras sobremesas. Este creme é uma delícia! Pode usar como base para muitas sobremesas ou misturar com azeite de ervas.

FIGOS GRELHADOS COM REQUEIJÃO

PARA 4 PESSOAS

8 figos
½ requeijão batido com pitada de sal
1 cchá de gengibre muito picadinho
óleo

CALORIAS

8 figos ·· 400 cal
1 csopa de requeijão ···················· 20 cal
Por pessoa (4) ···························· 105 cal

Lave os figos e corte em metades.
Aqueça uma placa de ferro ou frigideira.
Deite um fio de óleo para untar a placa.
Junte o gengibre e deixe tostar ligeiramente.
Junte os figos e grelhe de ambos os lados, até ficarem um pouco douradas.

Sirva com 1 colher de sopa de requeijão batido.

COMENTÁRIO: sobremesa ou acepipe, tanto faz! Figos e queijo é uma combinação sempre deliciosa. Controle as quantidades: sirva-se sem abusar. Os figos são muito nutritivos. São ricos em fibra e potássio, vitaminas e outros minerais.

CRUMBLE DE ABÓBORA

PARA 6 A 8 PESSOAS
RECHEIO

800g de abóbora

1 cháv de água

1 csopa de gengibre picado

50g de açúcar (substituível por frutose em menor quantidade)

1 csopa de manteiga

CRUMBLE

150g de farinha integral

¼ de cháv de farelo ou flocos de aveia

50g de manteiga fria

50g de açúcar

1 pitada de sal

1 csopa de gengibre picado (opcional)

CALORIAS

1kg de abóbora	300 cal
50g de açúcar	200 cal
1 csopa de manteiga	105 cal
Por pessoa (8)	75 cal

Corte a abóbora aos pequenos cubos.

Coza tapada, com a água, o gengibre, o açúcar e a manteiga até ficar mole (± 15 minutos).

Entretanto, misture à mão os ingredientes do *crumble*, partindo a manteiga.

Coloque a abóbora, com um fundinho de sumo de cozedura, num recipiente para ir ao forno.

Cubra a abóbora com a mistura de crumble.

Coza no forno pré-aquecido a 180º C durante 20 minutos.

Serve-se quente.

* Pode acompanhar-se com um pouco de natas de soja batidas com leite de coco.

COMENTÁRIO: é uma receita deliciosa mas rica! O doce da abóbora era muito usado na doçaria portuguesa tradicional. Esta receita oferece uma alternativa menos pesada em açúcar. É um delicioso *snack* para comer a meio da manhã ou ao lanche. Pode experimentar fazer com azeite em vez de manteiga: há grandes chefes da culinária portuguesa que fazem azeitonas caramelizadas e gelados de queijo! A vantagem neste caso é que, assim, se pode controlar melhor o colesterol.

DOCES · 181

TARTES Tal como os restantes doces, devem ser ligeiras. Para isso, faça tartes com fruta fresca e use o menos açúcar possível. Para recheios mais cremosos, use produtos mais equilibrados em gordura.

MASSA DE TARTE

PARA 6 TARTES

1 cháv de farinha (½ integral)

3 csopa de óleo

1 cchá de açúcar ou frutose

pitada de sal

1 cchá de fermento

3 csopa de queijo creme magro

(ver Glossário)

CALORIAS

½ cháv de farinha integral	200 cal
½ cháv de farinha branca	220 cal
1 cchá de açúcar	15 cal
3 csopa de óleo	360 cal
3 csopa de queijo creme	70 cal
Por pessoa (6)	144 cal

Misture a farinha, fermento, açúcar e sal.

Junte o óleo.

Por fim, junte o queijo.

Amasse com a mão.

Faça um cilindro, embrulhe com folha de plástico.

Ponha no frigorífico durante 30 minutos.

Aqueça o forno a cerca de 150 a 200º C.

Corte o cilindro de massa em 6 rodelas.

Achate com a palma da mão.

Estenda em tábua de madeira polvihada de farinha com rolo de madeira ou as mãos.

Com os discos de massa assim obtidos forre pequenas formas de tarte untadas, deixando um pequeno rebordo de fora.

Vão ao forno cerca de 20 minutos ou até estarem ligeiramente douradas e estaladiças.

Tire e coloque num tabuleiro.

Em vez de tarte, pode fazer com a mesma massa, pequenas "bolachas" para rechear com fruta.

RECHEIOS DAS TARTES

Recheie as tartes apenas quando estiver para servir. A massa fica mais crocante.

Pode usar uma camada fina de creme de requeijão, espuma de fruta, ou uma camada fina de doce de limão (ver respectivas receitas) com fruta fresca por cima, ou com os recheios abaixo sugeridos.

RECHEIO DE BANANA

1½ banana
½ cchá de açúcar
1 a 2 cchá de Madeira ou Porto

Corte a banana às rodelas oblíquas.
Misture bem com o açúcar e Madeira.
Polvilhe de canela ou açúcar no fim.

CALORIAS

1½ banana ····························· 180 cal
½ cchá de açúcar ····················· 8 cal
2 cchá de Madeira ·················· 15 cal

RECHEIO DE MAÇÃ

1 a 2 maçãs
1 cchá de frutose ou açúcar
1 ccafé de Madeira opcional

Num tacho, deite um fundo de água com um pouco de sumo de limão para impedir que a maçã oxide.

Descasque a maçã, guardando uma pequena porção para enfeitar no fim.

Corte às fatias, meta no tacho e misture.

Junte açúcar amarelo, a colher de chá de Madeira e 1 pedacinho de canela.

Deixe levantar fervura e coza uns 3 minutos ou até não haver muito líquido no fundo.

A maçã desfaz-se um bocado.

Deixe arrefecer.

Corte a restante maçã em fatias finas, passe por sumo de limão e decore as tartes por cima.

CALORIAS

2 maçãs ······························ 160 cal
1 cchá de açúcar ···················· 15 cal
1 cchá de Madeira ··················· 8 cal

RECHEIO DE MORANGOS

o morango não precisa de ir ao forno

3 cháv de morango
1 ccafé de sumo de limão
1 cchá de açúcar amarelo
1 ccafé de Madeira, (opcional)

Coza a base das tartes e deixe arrefecer.
Lave os morangos e corte-os às fatias ou rodelas.
Junte o limão, o açúcar amarelo, a colher de café de Madeira.
Deixe marinar enquanto a massa coze.
Deixe a massa arrefecer antes de rechear.

CALORIAS

3 cháv morango ·························· 138 cal
1 cchá de açúcar ·························· 15 cal

RECHEIO DE PÊSSEGO

2 pêssegos
2 cháv de água
1 cchá de raspas de laranja
1 cchá de raspas de limão
1 cchá de açúcar
canela a gosto

Numa panela, deixe ferver a água durante 5 minutos com as raspas de laranja e limão, e o açúcar.
Adicione canela, se gostar.
Junte os pêssegos lavados com ou sem casca e deixe ferver durante 5 minutos.
Deixe arrefecer antes de rechear.

CALORIAS

2 pêssegos ·························· 70 cal
1 cchá de frutose ·························· 15 cal

COMENTÁRIO: pode improvisar com outras frutas, como a manga, alperces, uvas, cerejas, etc.. Estas tartes são frescas, fáceis de fazer e bonitas. Além disso, não sobrecarregam o seu corpo com açúcar, deixando-lhe o prazer de saborear um doce sem as penalizações do costume!

BOLACHINHAS DE AVEIA E ALPERCE SECO

Aqueça o forno a 200º C

PARA 20 BOLACHINHAS

½ cháv de farinha integral
½ cháv de flocos de aveia finos
pitada de sal ou bicarbonato
3 cchá de açúcar amarelo
5 alperces secos cortados aos bocadinhos
1 ovo batido
3 csopa de óleo
1 csopa de queijo fresco magro tipo creme (ver Glossário)
2 nozes partidas aos pedacinhos
(ou sementes de girassol)

CALORIAS

½ cháv de farinha integral	200 cal
½ flocos de aveia	70 cal
3 cchá de açúcar	45 cal
5 alperces secos	50 cal
3 csopa de óleo	360 cal
1 csopa de queijo fresco	50 cal
1 ovo	75 cal
2 nozes	135 cal
Por bolacha (20)	49 cal

Misture a farinha com os flocos de aveia, sal, açúcar e os alperces cortadinhos.

Junte o ovo, o óleo e, por fim, o queijo.

Com as mãos enfarinhadas faça, bolachinhas pequenas.

Cozinhe no forno durante cerca de 20 a 30 minutos.

COMENTÁRIO: estas bolachinhas são tão fáceis de fazer! Vá para a cozinha com os seus filhos e faça as bolachinhas para eles levarem para a escola ou para levar para o seu trabalho. A vantagem é que, assim, pode controlar a qualidade dos ingredientes, evitar as gordura *trans* que os produtos industriais usam sempre (e que, infelizmente, sabemos serem cancerígenas). Como são ricas em fibra, o índice glicémico destas bolachinhas é muito aceitável. Pode improvisar com os frutos secos e sementes.

BOLOS QUE FAZEM BEM Estes bolos foram optimizados para manter o prazer de comer uma fatia de bolo sem a sobrecarga de excesso de açúcar e gordura. Saboreie devagar o que come, aprecie o paladar e vai ver que o que, inicialmente, não parece doce, afinal é! Apesar de tudo, são bolos ricos, que se podem ajustar no conteúdo de açúcar, nozes e passas ao gosto ou restrições de saúde de cada um.

BOLO DE BANANA

Aqueça o forno a 150° C

12 PORÇÕES

4 csopa de óleo vegetal

¼ cháv de açúcar

sumo de ½ limão

1 cchá de mel

3 bananas maduras

2 ovos

1 cháv de farinha integral

½ cháv de farinha branca

3 cchá de fermento

½ cháv de nozes mal picadas

½ cchá de bicarbonato de sódio (opcional)

2 csopa de queijo fresco tipo creme magro (ver Glossário)

CALORIAS

¼ de cháv de açúcar	180 cal
3 bananas	360 cal
1 cchá de mel	31 cal
2 ovos	140 cal
1 cháv de farinha integral	400 cal
½ cháv de farinha branca	225 cal
½ cháv de nozes	390 cal
2 csopa de queijo creme	50 cal
4 csopa de óleo	480 cal
Por porção (12)	154 cal

Bata num copo misturador o óleo, o açúcar, o limão e o mel.
Junte os ovos inteiros e bata até obter uma pasta homogénea.
Junte as bananas aos pedaços e bata bem.
Numa tigela à parte misture as farinhas e o fermento.
Junte a pasta às farinhas e misture bem.
Junte as nozes.
No fim, junte o queijo fresco e incorpore bem
Deite a mistura numa forma ou num *Pyrex* untado com óleo (ou manteiga) e salpicado de farinha.
Coza no forno já aquecido durante 30 a 40 minutos.
Experimente com um palito - se já não pega ao palito, está pronto.
Deixe arrefecer 5 minutos antes de desenformar.

ESTE BOLO NÃO GOSTA DE TEMPERATURAS MUITO ALTAS. Na verdade a temperatura da maioria dos nossos fornos não é rigorosa. Se o bolo sobe depressa demais, fica encruado no meio e, ao ficar frio, colapsa. Se lhe correr mal a primeira vez, tente com forno mais fraco, ou compre um termómetro de forno.

BOLO DE ABÓBORA

Aqueça o forno a 180° C

12 PORÇÕES

200g de abóbora sem casca bem colorida

4 csopa (60ml) de óleo

1 csopa de açúcar

1 csopa de mel

2 ovos

1 cchá de raspa de laranja

½ cháv de passas

¼ de cháv de nozes mal picadas

¼ de cháv de amêndoas mal picadas

1 cháv de farinha integral

1 cháv de farinha branca

3 cchá de fermento

½ cchá de bicarbonato de sódio (opcional)

¼ de cháv de queijo fresco creme magro

(ver Glossário)

CALORIAS

1csopa de açúcar	45 cal
200g de abóbora	60 cal
2 ovos	140 cal
1 cháv de farinha integral	400 cal
1 cháv de farinha branca	450 cal
¼ de cháv de nozes	195 cal
¼ de cháv de amêndoas	195 cal
½ cháv de passas	250 cal
¼ de cháv de queijo creme	100 cal
4 csopa de óleo	480 cal
1 csopa de mel	64 cal
Por porção (12)	198 cal

Descasque a abóbora, lave e corte aos pedaços.

Coza no microondas, depois de salpicar de água, em recipiente tapado por 2 minutos.

Deixe arrefecer.

Bata num copo misturador o óleo, açúcar, mel e ovos.

Junte a abóbora já fria e bata até obter uma pasta homogénea.

Numa tigela à parte misture a farinha e o fermento (e bicarbonato).

Junte a pasta às farinhas e misture bem.

Junte as amêndoas, nozes e passas.

Misture e, no fim, junte o queijo.

Deite na forma já untada e coza durante 50 minutos.

Experimente com um palito aos 30minutos.

BOLO DE CENOURA

Aqueça o forno a 180º C

12 PORÇÕES

¼ de cháv de açúcar amarelo

1 csopa de mel

4 csopa de óleo

3 ovos

3 cenouras

½ cháv de passas

½ cháv de nozes mal picadas

1 cháv de farinha integral

½ cháv de farinha branca

3 cchá de fermento

½ cchá de bicarbonato de sódio (opcional)

canela a gosto

CALORIAS

¼ de cháv de açúcar	180 cal
3 cenouras	120 cal
3 ovos	210 cal
1 cháv de farinha integral	400 cal
½ cháv de farinha branca	225 cal
½ cháv de nozes	390 cal
½ cháv de passas	250 cal
2 csopa de queijo creme	50 cal
4 csopa de óleo	480 cal
1 csopa de mel	64 cal
Por porção (12)	196 cal

Descasque as cenouras, lave e corte aos pedaços.

Coza, depois de salpicar de água, no microondas em recipiente tapado por 2 minutos.

Deixe arrefecer.

Bata num copo misturador o óleo, açúcar, mel e ovos.

Junte as cenouras já frias e bata para obter uma pasta.

Numa tigela à parte misture a farinha e o fermento (e bicarbonato).

Junte a pasta às farinhas e misture bem.

No fim, junte as nozes e as passas.

Deite a mistura na forma já untada e coza durante 50 minutos.

Experimente com um palito aos 30minutos.

COMENTÁRIO: se quiser cortar nas calorias, diminua a quantidade de nozes, passas e use só metade do açúcar.

DOCES · 193

BOLO DE AMÊNDOAS

Aqueça o forno a 170°C

12 PORÇÕES

250g de amêndoas picadas em pó
125g de açúcar
6 claras de ovo batidas em castelo

CALORIAS

250g de amêndoa	1530 cal
125g de açúcar	475 cal
6 claras de ovo batidas	102 cal
Por fatia (12 fatias)	180 cal

Aqueça o forno à temperatura de 170°C.

Junte com cuidado as amêndoas e o açúcar às claras de ovo.

Coloque a mistura numa forma bem untada e polvilhada com farinha.

Coza durante cerca de 45 minutos.

Fica bem com um *coulis* de fruta fresca, ou uma das receitas de ESPUMAS.

Tente com laranja, que fica bem.

COMENTÁRIO: as amêndoas são uma mistura de gordura e hidratos de carbono. Cada 100g de amêndoas tem 612 calorias, 58g de gordura total, 35g de hidratos de carbono, 11g de proteínas e 28mg de cálcio. Este bolo não só é muito fácil de fazer como é delicioso. Como não leva as gemas dos ovos, fica muito leve e sem colesterol. Recomendam-se doses pequenas a acompanhar uma salada de fruta da época. Lembre-se que, se não abusar, pode comer doces toda a vida – desde que não seja diabético, está claro. Todo o açúcar acompanhado de fibra, é absorvido mais lentamente, o que é mais saudável.

CREMES E OUTROS Com fruta fresca madura e um queijo creme faz-se uma delícia!

QUEIJO COM PÊRA ABACATE

PARA 4 PESSOAS
1 caixa (500g) de queijo fresco magro
(ver Glossário)
1 pequena pêra abacate, madura
¼ de cháv de sumo de limão
açúcar amarelo fino a gosto

CALORIAS
1 caixa de queijo magro ·············· 380 cal
1 pêra abacate ····························· 306 cal
4 cchá de açúcar ·························· 60 cal
Por pessoa (4) ···························· 186 cal

Corte a pêra abacate em metades e tire-lhe o caroço.

Tire a polpa com uma colher e meta numa tigela.

Junte os outros ingredientes e misture até obter um creme homogéneo.

Para servir, enfeite com rodelas de limão e com folhas de hortelã.

QUEIJO COM DIOSPIROS

PARA 4 PESSOAS

1 caixa (500g) de queijo fresco magro
(ver Glossário)
2 diospiros bem maduros
¼ de cháv de sumo de limão
açúcar amarelo fino a gosto (opcional)

CALORIAS

1 caixa de queijo magro ·············· 380 cal
2 diospiros ································· 64 cal
Por pessoa (4) ··························· 120 cal

Descasque os diospiros.

Misture a polpa com o queijo fresco, sem a desfazer muito.

Para servir, enfeite com rodelas de limão e folhas de hortelã.

CREME DE MANGA, ABÓBORA E HORTELÃ

PARA 2 A 3 PESSOAS

150g de abóbora cozida

1 manga madura

3 folhas de hortelã

1 csopa de queijo fresco tipo creme por pessoa

CALORIAS

150g de abóbora ························· 60 cal

1 manga ····································· 135 cal

1 csopa de queijo ···················· 20 cal

Por pessoa (2) ·························· 109 cal

Descasque, lave e corte a abóbora aos cubos.

Coloque num *Pyrex*, salpique com água, tape e coza 4 minutos no microondas.

Escorra o líquido e deixe arrefecer.

Descasque a manga.

Bata a abóbora, manga e hortelã num copo misturador.

Sirva com 1 colher de sopa de queijo fresco creme ou, então, junte um pouco de nata de soja ao batido.

Pode fazer só com a manga e hortelã.

DELÍCIA DE REQUEIJÃO E BANANA

PARA 6 PESSOAS

1 requeijão

2 bananas

¼ de cháv de nozes picadas

1 ccafé bem cheia de mel por pessoa

CALORIAS

2 bananas	240 cal
1 requeijão	267 cal
¼ de cháv de nozes	195 cal
6 ccafé de mel	128 cal
Por pessoa (6)	138 cal

Corte as bananas às rodelas muito finas.

Corte o requeijão às fatias finas

Faça uns montinhos de camadas de banana, requeijão e salpicos de noz.

Acabe o montinho com requeijão.

Salpique com nozes por cima e fio de mel a enfeitar.

CREME DE BANANA, HORTELÃ E RASPAS DE LARANJA

PARA 2 PESSOAS

1 banana madura cozida no microondas cerca de 2 min

6x2 cm de gelatina vegetal derretida no microondas coberta com leite de soja

2 cchá de açúcar

150ml de leite de soja

folha de hortelã

raspas de casca de laranja, a gosto

CALORIAS

1 banana	··	120 cal
2 cchá de açúcar	·····························	30 cal
150ml de leite soja	························	50 cal
Por pessoa (2)	·····························	100 cal

Coloque a banana inteira com casca no microondas.

Coza durante cerca de 2 minutos – fica escura por fora e em papa doce por dentro.

Descasque e escorra o líquido que se formou.

Bata a banana junto com o leite de soja, a hortelã e a casca de laranja.

Junte a gelatina derretida no leite de soja e bata de novo.

Pode comer logo ou pôr em tigela no frigorífico.

Se quiser fazer um pudim para o dia seguinte, use o dobro da gelatina.

Sirva com espumas de outras frutas.

Pode utilizar outras frutas – para frutas mais líquidas, junte mais gelatina.

CREME DE BANANA E REQUEIJÃO COM ESPUMAS

PARA 3 PESSOAS

1 banana madura cozida no microondas

½ requeijão

1 cchá de açúcar (opcional)

1 cchá de pinhões por pessoa.

CALORIAS

1 banana ································· 120 cal

1 cchá de açúcar ···················· 15 cal

½ requeijão ·························· 133 cal

1 cchá de pinhões ················· 17 cal

Por pessoa (2) ····················· 142 cal

Coloque a banana inteira com casca no microondas.

Coza durante cerca de 2 minutos – fica escura por fora e em papa doce por dentro.

Escorra o líquido que sai da banana.

Bata o requeijão com a banana num 1-2-3, fazendo um creme grosso.

Sirva com espumas de morango e manga.

Pode também salpicar com pinhões e servir com manga batida no 1-2-3.

ESPUMAS Esta técnica transforma o *coulis* num creme leve, delicioso para usar com outras frutas, bolos, requeijão, etc..

RECEITA BÁSICA

fruta madura

1 clara de ovo em castelo

gelatina vegetal derretida no micro-ondas com água só a cobrir durante 30 seg. (quanto mais fruta, mais gelatina)

Bata num copo misturador a fruta e a gelatina derretida um pouco arrefecida.

Se necessário pode ajustar um pouco o açúcar.

Por fim junte a clara em castelo e bata apenas mais uns segundos.

ESPUMA DE MORANGO

250g de morangos bem maduros

6x3 cm de gelatina vegetal

1 clara de ovo em castelo

2 cchá de açúcar amarelo

ESPUMA DE PÊRA ABACATE

½ pêra abacate

½ requeijão

6x2 cm de gelatina vegetal derretida num pouco de água no microondas

1 a 2 c chá de açúcar amarelo

1 clara de ovo em castelo.

ESPUMA DE MANGA

1 manga bem madura

sumo de 1 laranja (opcional)

1 clara de ovo em castelo

6x3 cm de gelatina derretida

DOCES · 207

DOCE DE LIMÃO COM GENGIBRE CRISTALIZADO

raspas e sumo de 6 limões

375g de manteiga cortada aos cubos

800g de açúcar

8 ovos batidos

1 cháv de gengibre cristalizado picado

Coloque todos os ingredientes, excepto o gengibre cristalizado, numa panela.

Aqueça a panela dentro duma outra panela com água a ferver (em "banho Maria").

Mexa frequentemente e coza até a mistura ficar grossa (45 minutos a 1 hora).

Junte o gengibre cristalizado no fim e deixe cozer uns minutos mais.

Meta o doce em frascos esterilizados e feche logo.

* Como esterilizar frascos:

Coloque frascos abertos e as respectivas tampas numa panela com água fria.

Aqueça até levantar fervura e deixe uns minutos dentro da água a ferver.

Retire só antes da utilização – o próprio calor do frasco secará a água residual.

COMENTÁRIO: esta receita só é saudável pelas pequeníssimas quantidades que se usa deste delicioso creme. Use em quantidades de colher de chá para compor uma sobremesa ou em camada muito fininha por baixo de fruta para rechear tartes. Guarde no frigorífico e não vale comer às colheradas!

PANQUECAS DE AVEIA

PARA 6 PANQUECAS

½ cháv de flocos de aveia

½ cháv de farinha integral de aveia
ou trigo

½ cháv de yogurte ou queijo fresco creme

1 ovo

¼ de cchá de bicarbonato ou pitada
de sal

1 cchá de fermento

fio de azeite ou óleo

CALORIAS

½ cháv de farinha integral	400 cal
½ cháv de flocos de aveia	70 cal
½ cháv de yogurte	70 cal
1 ovo	70 cal
Por panqueca	101 cal

Numa tigela junte os flocos de aveia, a farinha e o fermento. Misture bem.

Junte o yogurte ou queijo fresco e mexa.

Por fim junte o ovo inteiro e incorpore bem.

Espere uns 20 minutos.

Aqueça uma frigideira anti-aderente e deite um fio de óleo ou azeite.

Baixe o lume para médio.

Deite pequenas porções da massa e deixe cozinhar até a parte de cima deixar de estar líquida.

Vire e cozinhe mais um pouco.

COMENTÁRIO: a nossa alimentação é muito baseada no trigo. Gosto destas panquecas de aveia para variar. Faço a qualquer hora de fome e sirvo com frutas, mel, queijo creme, ou mesmo com um acompanhamento salgado.

PALADARES DE CÁ – COZINHA EQUILÍBRIO

foi composto em caracteres Melior, de Hermann Zapf
e Frutiger, de Adrian Frutiger. Acabou
de se imprimir em Coimbra no mês
de Novembro de dois mil
e quatro.